A caminhada de uma mulher com Deus

A caminhada de uma mulher com Deus
Elizabeth George

Título original em inglês: A woman's walk with God
© 2000 de Harvest House Publishers (Eugene, Oregon, 97402, USA)

1ª edição: agosto de 2004
9ª reimpressão: julho de 2004

Tradução: Maria Emília de Oliveira
Revisão: Lena Aranha
Diagramação: J. B. Carvalho
Capa: Maquinaria
Editor: Aldo Menezes
Coordenador de produção: Mauro Terrengui
Impressão e acabamento: Imprensa da Fé

As opiniões, interpretações e conceitos desta obra são de responsabilidade de
quem a escreveu e não refletem necessariamente o ponto de vista da Hagnos.

Todos os direitos desta edição reservados à
EDITORA HAGNOS LTDA.
Rua Geraldo Flausino Gomes, 42, conj. 41
CEP 04575-060 — São Paulo, SP
Tel.: (11) 5990-3308

E-mail: hagnos@hagnos.com.br | Home page: www.hagnos.com.br

Editora associada à ABDR (Associação Brasileira de Direitos Reprográficos)

Dados Internacionais de Catalogação na Publicação (CIP)
(Câmara Brasileira do Livro, SP, Brasil)

George, Elizabeth
   A caminhada de uma mulher com Deus / Elizabeth George; [tradução:
Maria Emília de Oliveira]. -- São Paulo, SP: Hagnos, 2004.

   Título original: A woman's walk with God

   ISBN 85-243-0314-X

   1. Mulheres cristãs - Vida religiosa 2. Vida cristã I. Título

04-4455   CDD 248.843

Índices para catálogo sistemático:
1. Mulheres: Guias de vida cristã: Cristianismo 248.843

A meus pais
Henry e Ruth White
cujo lar tem sido
um rico jardim de virtudes.

Sumário

1. Preparando-se para Continuar a Crescer 09

Parte 1: Atitudes do Fruto do Espírito

2. Buscando Amor em Deus 23
3. Oferecendo o Sacrifício de Alegria 43
4. Sentindo a Paz de Deus 61
5. Examinando as Atitudes de Jesus 77

Parte 2: Ações do Fruto do Espírito

6. Resistindo com Longanimidade 89
7. Planejando a Benignidade 109
8. Oferecendo Bondade 125
9. Examinando as Ações de Jesus 145

Parte 3: Aplicações do Fruto do Espírito

10. Completando a Carreira com Fidelidade 155
11. Adquirindo Força por Meio da Mansidão 177
12. Vencendo a Batalha do Domínio Próprio 195
13. Examinando as Aplicações de Jesus 213
    Epílogo: Planejando Crescer Mais 221

Guia de estudos 225
Notas 253

Capítulo 1

Preparando-se para Continuar a Crescer

Alguns anos atrás, quando fiz uma palestra em um retiro para mulheres, em Bellingham, Washington, pernoitei na residência de um casal amável e acolhedor. Depois de estacionar o carro na garagem atrás da casa, passamos por uma linda macieira, enquanto atravessávamos o quintal. Por ter nascido no sul da Califórnia, onde só existem laranjeiras, fiz um comentário sobre a beleza daquela árvore. Esse comentário levou Jennifer, minha anfitriã, a me contar a história da macieira em seu quintal.

Tom, o marido de Jennifer, cuida da magnífica árvore desde que se mudou para aquela casa. Ele queria saborear as maçãs do tipo Golden Russet e empenhou-se muito para melhorar a produção da macieira. Depois de fazer algumas pesquisas, fez enxerto de alguns galhos retirados de sua velha macieira Gravenstein e de vários brotos de uma macieira do tipo espartano. Ao longo dos anos, Tom dedicou-se a nutrir, fertilizar, regar, podar, amarrar os galhos, borrifar água e produtos contra pragas e proteger essa árvore. Seus esforços foram recompensados quando ele, com o passar do tempo, a viu se desenvolver.

E a produção daquela macieira é estupenda. Tom precisa sustentar seus galhos com estacas, quando ficam abarrotados de maçãs, para evitar que se quebrem! E, quando a fruta amadurece, é a vez de Jennifer entrar em ação. Ela apanha as três espécies de maçãs e faz com as frutas tudo o que você pode imaginar: cozinha, enlata, esmaga, prepara molhos para pratos doces e salgados, desidrata, corta em fatias e em cubos e congela. Na noite em que jantei em sua casa, Jennifer serviu maçãs crocantes na sobremesa. E quando parti na manhã seguinte, ela me deu um saco plástico cheio de maçãs desidratadas para eu comê-las no avião.

Quando penso na macieira daquele casal, não posso deixar de refletir sobre o fruto de nossa vida como mulheres cristãs. Será que você e eu, que somos servas de Deus, não deveríamos prestar um pouco mais de atenção à nossa produção de frutos – frutos espirituais –, como fazem Jennifer e Tom com a macieira? Será que não deveríamos estar colhendo ativamente o fruto do Espírito em nossa vida, a fim de refletir a glória de Deus e a beleza de Cristo? O que você e eu estamos fazendo para desenvolver esses frutos espirituais? Que atitudes práticas podemos tomar para nos tornar mais semelhantes a Cristo em nossa caminhada com Ele no dia-a-dia?

Compreendendo o Fruto do Espírito

Bem, minha amiga, da mesma forma que Tom estudou para aprender mais sobre sua macieira e o fruto que ela produz, você e eu precisamos estudar a Palavra de Deus para compreendermos melhor o fruto do Espírito Santo e a maneira como ele se desenvolve. Ao longo da Bíblia, a palavra "fruto" refere-se à evidência do que está dentro de nós. Se o que existe dentro de nós for bom, o fruto de nossa vida também será bom. Mas se o que existe dentro de nós estiver podre, o fruto de nossa vida será de má qualidade. Qualquer

Preparando-se para Continuar a Crescer

pessoa que tenha recebido Jesus como seu Salvador e Senhor e que tenha Cristo no coração produz fruto bom – o "fruto de justiça" (Fp 1.11) – porque Deus resplandece em sua vida. O fruto do Espírito foi descrito como "aqueles hábitos virtuosos que o Santo Espírito produz no cristão".[1] O apóstolo Paulo relaciona esses "hábitos virtuosos" em Gálatas 5.22,23: "Mas o fruto do Espírito é: amor, alegria, paz, longanimidade, benignidade, bondade, fidelidade, mansidão, [e] domínio próprio". Tenho certeza de que, assim como eu, você almeja que essas características nobres façam parte de sua vida – mas como podemos conseguir isso? *Talvez se eu me esforçar mais...* é o que geralmente pensamos. Mas Jesus ensina e exemplifica que uma atitude individual do tipo "faça você mesma" não é a resposta. É maravilhoso (e reconfortante) compreender que o fruto do Espírito pode ser produzido em nossa vida da mesma maneira que foi produzido na vida de Jesus! Somos abençoadas com uma colheita de espiritualidade, quando nos entregamos a Deus e permitimos que Seu Espírito opere em nós durante nossa jornada pela vida.

Enquanto você e eu percorremos juntas a lista de Deus sobre os frutos que Ele concede à nossa vida, analisaremos a beleza e a profusão desses frutos e examinaremos cada um deles individualmente. Não podemos, porém, esquecer que os nove frutos formam um conjunto: amor, alegria, paz, longanimidade, benignidade, bondade, fidelidade, mansidão e domínio próprio estão interligados em nossa caminhada com Deus. Eles são semelhantes a um fio com lâmpadas de Natal – existe um fio com muitas lâmpadas o qual, quando ligado na corrente elétrica, faz com todas elas se acendam de uma só vez. No entanto, se uma lâmpada se apagar, todas as outras ligadas ao fio também se apagarão. É assim que o fruto de Deus é produzido em nossa vida. Nenhum deles pode faltar, e, para ser o fruto de Deus, todos devem estar evidentes.

A Caminhada de Uma Mulher com Deus

Necessitamos também lembrar que esses frutos atuam em conjunto e, portanto, são produzidos em nossa vida da mesma maneira. São semelhantes a um relógio, que contém muitas peças. O relógio pode ser desmontado para limpeza e conserto, mas cada peça precisa estar no lugar certo para que volte a funcionar. Neste livro, você e eu analisaremos separada e cuidadosamente cada fruto do Espírito e, depois, veremos como funcionam para formar um todo.

Essas características, pelo fato de formar um todo, são produzidas da mesma maneira. Tudo o que for dito a respeito de uma característica é uma verdade que se aplica às outras oito. Elas formam uma unidade, interligada e relacionada entre si, que é produzida quando nos voltamos para Deus.

Caminhar pelo Espírito e cultivar o fruto do Espírito: é disto que este livro trata. Você e eu podemos caminhar mais perto de Deus e produzir muitos frutos quando submetemos nossa vida a Ele. À medida que examinarmos cada fruto do Espírito, analisaremos também a vida de Jesus para ver o que eles representam na vida Dele. Quando seguimos o exemplo da vida do Filho de Deus aqui na Terra e caminhamos em obediência, produzimos frutos que glorificam nosso Criador e Senhor.

Compreendendo os Problemas

Antes de começar a aprender como deve ser nossa caminhada com Deus, seria melhor conhecer duas "pedras de tropeço" que encontraremos ao longo do percurso. A primeira é o legalismo, um problema para nós, os cristãos de hoje, da mesma forma que foi para os crentes da época de Paulo. Legalismo é uma estrita obediência a um conjunto de leis, que ultrapassa o que está escrito na Bíblia (1Co 4.6). Na verdade, Paulo escreveu aos gálatas porque alguns falsos profetas (chamados judaizantes) estavam ensinando que era preciso seguir as leis do Antigo Testamento, mesmo depois da profissão de fé em Cristo. Essa doutrina ia de encontro a tudo o que Jesus ensinou e também à verdade fundamental que diz que o homem se aproxima de Deus apenas pela fé. Ela também fomentava uma forma inaceitável de legalismo e religião, baseada unicamente em obras. Paulo, portanto, exortou os crentes a permitir que o Espírito de Deus cumprisse a Lei para eles e por meio deles. Se eles apenas andassem "no Espírito" (Gl 5.16,25), permaneceriam dentro da Lei de maneira natural e maravilhosa.

Outro problema, minha amiga, que você e eu temos em comum com os crentes da Galácia é aquele que enfrentaremos até o dia de nossa morte, isto é, o conflito entre a carne e o Espírito, que começa no instante em que depositamos nossa fé em Jesus Cristo. Paulo escreve: "Porque a carne milita contra o Espírito, e o Espírito contra a carne, porque são opostos entre si; para que não façais o que porventura seja do vosso querer" (Gl 5.17). Esses desejos da carne resultam em "obras da carne" (5.19), pecados e depravações que Paulo relaciona em Gálatas 5.19-21: "prostituição, impureza, lascívia, idolatria, feitiçarias, inimizades, porfias, ciúmes, iras, discórdias, dissensões, facções, invejas, bebedices, glutonarias e coisas semelhantes a estas".

Minha querida, que fraquezas são evidentes em sua vida? Peça a Deus que a ajude a identificar suas tendências e obras carnais, repetindo, em forma de oração, as palavras sinceras de Davi: "Sonda-me, ó Deus, e conhece o meu coração: prova-me e conhece os meus pensamentos; vê se há em mim algum caminho mau, e guia-me pelo caminho eterno" (Sl 139.23,24). Em seguida, confesse tudo o que Deus lhe revelar e submeta-se mais uma vez ao poder transformador de Seu Espírito. É isto que significa andar no Espírito!

A Caminhada de Uma Mulher com Deus

Compreendendo o Chamado para "Andar no Espírito"

Você não ficou feliz quando viu que, logo após a medonha lista de pecados, Paulo passa a falar do fruto do Espírito (Gl 5.22)? Em marcante contraste com as obras da carne, Paulo faz uma descrição maravilhosa do fruto produzido em nossa vida quando andamos no Espírito. Se você e eu andarmos no Espírito, jamais satisfaremos "à concupiscência da carne" (5.16) e poderemos obter vitória sobre a carne. Mas o que nós, mulheres cristãs, devemos fazer para andar no Espírito?

Em palavras simples, andar no Espírito significa viver cada momento em completa submissão a Deus. Andar no Espírito significa querer agradá-lo com pensamentos, palavras e ações. Andar no Espírito também significa permitir que Ele nos guie em cada passo de nossa caminhada. Significa permitir que Ele trabalhe dentro de nós para que possamos glorificar a Deus.

Compreendendo o Que Significa "Permanecer em Cristo"

Apesar das muitas sugestões práticas que apresentarei em nossa jornada ao longo deste livro, se quisermos cultivar o fruto do Espírito em nossa vida jamais devemos perder de vista aquilo que a Bíblia ensina claramente: "Não há quem faça o bem, não há nem um sequer" (Rm 3.12). O próprio Paulo lamentou: "Porque eu sei que em mim, isto é, na minha carne, não habita bem nenhum" (Rm 7.18). Somente quando andamos no Espírito é que evidenciamos a presença de Cristo em nossa vida. E Deus nos concede essa graça quando permanecemos em Cristo.

Você já teve a curiosidade de saber o que significa "permanecer em Cristo"? Na eloquente alegoria de João 15, Jesus diz: "Eu sou a videira verdadeira" e exorta seus discípulos, tanto daquela época como de hoje: "Permanecei em mim" (v. 4). Os seguidores de Jesus só poderão produzir frutos se permanecerem nele (vv. 2,4,5). Essa exortação é feita quando Jesus profere suas palavras finais para instruir seu pequenino rebanho – palavras referentes à Sua morte, palavras de conforto e admoestação, palavras de paz e oração. Jesus explica que, mesmo depois de sua partida, seus discípulos continuarão em comunhão com Ele se permanecerem nele. A mesma oportunidade existe para você e para mim hoje, minha amiga. Se quisermos produzir fruto para o Reino de Deus, devemos permanecer em Cristo. Essa "permanência" foi definida como "comunhão contínua com o Senhor"[2], "permanecer em comunhão com Ele e ser submisso à Sua vontade"[3] e manter "contato com Jesus... um contato constante."[4]

Tenho certeza de que você deseja, da mesma forma que eu, permanecer em Cristo! Mas o que podemos *fazer* para manter contato constante com Jesus? O que podemos *fazer* para permanecer em nosso Senhor – ficar perto de Deus e habitar Nele como Ele habita em nós? O que você e eu podemos *fazer* para compartilhar mais de Sua vida e experimentar, de maneira mais completa, Sua presença em nossa vida? Reflita sobre esses passos práticos para andar mais perto dele.

Passar tempo estudando a Palavra de Deus é um passo que podemos (e devemos!) dar diariamente para permanecer em Cristo. O Dr. Everett F. Harrison escreve: "A permanência em Cristo não poderá ser mantida se não colocarmos suas palavras em posição de destaque [predominante] no coração (cf. Cl 3.16). Ele é honrado quando Sua Palavra é honrada."[5] Portanto, devemos ser diligentes quanto ao tempo que passamos estudando a Palavra de Deus. Estamos lendo, estudando e meditando Sua Palavra com regularidade? Com freqüência? Diariamente? O tempo que passamos estudando a Palavra de Deus é rico e significativo, ou estamos simplesmente agindo mecanicamente? A Palavra de Deus revela "os

A Caminhada de Uma Mulher com Deus

desígnios do Seu coração por todas as gerações" (Sl 33.11b), e é por isso que, quando lemos as Sagradas Escrituras, somos capazes de ter uma doce comunhão com Ele. Além do mais, não existe outro meio para conhecermos os pensamentos, os caminhos ou o coração de Deus. Ah, minha amiga, ore para que Deus lhe dê um apetite insaciável para que você tenha uma rica comunhão com Ele por meio da Palavra, um apetite que nada mais poderá satisfazê-lo!

Passar tempo em oração é outro ato de adoração que possibilita que você e eu tenhamos comunhão com Cristo e permaneçamos nele. O Dr. Harrison observa que Cristo "honra Sua Palavra quando os santos suplicam [o cumprimento de] Suas promessas em oração"[6], e um santo da antiguidade disse: "Uma vida sem oração significa uma vida sem Cristo, sem fé, sem obras, sem consistência."[7] Outro crente fez a seguinte observação: "As bênçãos da vida cristã só se tornarão constantes se formos homens e mulheres que dedicam um tempo diário, longo, tranqüilo e reservado para ficar em oração."[8]

Bem, querida amiga, será que uma pessoa observadora descreveria você ou eu como "mulheres que dedicam um tempo diário, longo, tranqüilo e reservado para ficar em oração"? Será que a oração é um elo vital entre nós e Deus – que é nosso conforto e nossa força? Será que estamos desejando conhecer mais a Deus, conhecer Seu coração e Seus propósitos por meio da santa comunhão da oração? Se você e eu desejamos permanecer em Cristo e ser mulheres que caminham com Deus, precisamos fazer o que for possível para aperfeiçoar nossa vida de oração.

Obedecer aos mandamentos de Deus também aperfeiçoa nossa permanência em Cristo. Portanto, nossa oração matinal diária deveria incluir o compromisso de honrar a Ele e Sua

Preparando-se para Continuar a Crescer

Palavra. Em João 15.10, Jesus ensina que a obediência foi parte essencial de Sua comunhão constante com o Pai: "Se guardardes os meus mandamentos, permanecereis no meu amor; assim como também *eu* tenho guardado os mandamentos de meu Pai, e no seu amor permaneço" (grifo da autora). Jesus permaneceu próximo ao Pai porque guardou Seus mandamentos e exemplificou para nós a obediência a nosso Pai celestial.

Há aqui um paradoxo, minha querida. Apenas à medida que andamos no Espírito – permanecendo em Cristo e obedecendo aos mandamentos de Deus – é que o *Espírito Santo* produz *seu* fruto em nossa vida. O teólogo John F. MacArthur comenta esse paradoxo na vida cristã: "Apesar de termos sido instruídos a exibir o fruto espiritual, ele só poderá ser produzido se nos submetermos ao Espírito Santo".[9] Veja bem, o fruto que resulta em nossa vida *graças à* nossa obediência é a evidência, a prova, de que o *Espírito* trabalha *em* nós. Não podemos agir estritamente por conta própria para fazer brotar esse fruto. Mas quando a vontade de Deus passa a ser nosso principal objetivo, nossas vidas maculadas são transformadas pelo Espírito Santo em um troféu, reluzente e encantador, de graça, que faz com que o mundo se volte para Ele.

Renovar nosso compromisso com Cristo parece ser uma atitude apropriada para essa ocasião em que nos preparamos para ter um crescimento maior. Antes que alguma coisa – ou pessoa – possa crescer, ela precisa estar viva. Portanto, você e eu precisamos fazer a nós mesmas a seguinte pergunta, bem simples: Estou viva espiritualmente?

No Livro de Romanos, lemos que "todos pecaram" (3.23); que "o salário do pecado é a morte" (6.23); e que "Deus prova o seu próprio amor para conosco pelo fato de ter Cristo morrido por nós" (5.8). Jesus tomou para Si nosso pecado,

A Caminhada de Uma Mulher com Deus

minha cara, e morreu em nosso lugar. Você já entendeu essa maravilhosa verdade e aceitou Jesus como Salvador e Senhor de *sua* vida? A Bíblia nos instrui: "Se com a tua boca confessares a Jesus como Senhor e, em teu coração, creres que Deus o ressuscitou dentre os mortos, serás salvo" (Rm 10.9). Antes de você experimentar um crescimento espiritual, a semente da fé em Jesus deve criar raízes em seu coração e em sua vida.

E então, você está viva? Existem apenas três respostas possíveis: "sim", "não" e "não tenho certeza". Se você respondeu "não" – se não aceitou Jesus como seu Salvador e Senhor –, poderá dar o primeiro passo para andar com Deus e crescer por meio dele neste instante, se fizer essa oração em sinceridade de coração:

> Jesus, sei que sou pecadora, mas quero arrepender-me de meus pecados e seguir-Te. Creio que morreste por meus pecados e ressuscitaste vitorioso sobre o poder do pecado e da morte, e desejo aceitar-Te como meu Salvador pessoal. Entra em minha vida, Senhor Jesus, e ajuda-me a obedecer-Te de hoje em diante.

Se você não tem certeza se a semente da fé criou raízes em seu coração, talvez queira proferir uma oração de *re*-consagração. Repita estas palavras:

> Jesus, sei que no passado pedi que entrasses em minha vida. Pensei, naquela ocasião, que fosse Tua filha, mas minha vida não tem demonstrado o fruto de minha fé. Neste momento em que ouço novamente Teu chamado, quero consagrar-me de todo o coração a Ti como Senhor e Mestre de minha vida.

Preparando-se para Continuar a Crescer

Ou, talvez, a oração abaixo se adapte melhor às suas circunstâncias pessoais:

> Querido Senhor Jesus, sei que no passado pedi que entrasses em minha vida. Desejo ser Tua filha; penso que sou Tua filha e espero ser, mas quero ter certeza disso. Senhor, dá-me a convicção de que terei a vida eterna por Teu intermédio, porque morreste na cruz por meu pecado (1Jo 5.13).

Minha querida irmã, se você não tem certeza de estar com Deus, conte isto a Ele agora, por meio de uma oração muito pessoal. Afinal, Deus a ama, e Ele conhece seu coração e quer estar em íntima comunhão com você.

Por fim, neste momento, se você respondeu – ou já pode responder: "Sim! Eu sei que estou viva em Cristo, agora e para sempre!", reserve alguns instantes para agradecer a Deus e louvá-Lo por tudo que Jesus fez por você. Assuma um novo compromisso de começar a andar e crescer no caminho da graça de Deus. Os seguintes versos poderão ajudá-la a adorá-Lo:

> Pagaste um preço muito alto por mim;
> Tuas lágrimas, Teu sangue
> E Teu sofrimento comoveram minha alma,
> Contudo, ela jamais experimentou
> Uma transformação verdadeira.
> És digno de um amor ardente
> Que não despreza Teu sacrifício,
> Porque o preço que pagaste foi alto demais.[10]

A Caminhada de Uma Mulher com Deus

Esta é a oração que faço – por mim e por você – a fim de que Deus use este livro para nos impulsionar a crescer em sua graça, para que experimentemos uma "transformação verdadeira". Que possamos nos comover a ponto de nos entregar inteiramente a Cristo. E que tenhamos o único objetivo de segui-Lo e exibir o intenso brilho do Salvador em nós à medida que caminhamos com Deus. Afinal, "o mundo ainda não viu o que Deus pode fazer com e para e em um homem [ou mulher] e por meio dele [dela] que seja inteira e totalmente consagrado a Ele."[11]

Parte 1

Atitudes
do Fruto do Espírito

Capítulo 2

Buscando Amor em Deus

[...] o fruto do Espírito é: amor [...]
Gálatas 5.22

Em 11 de junho de 1994, Courtney, nossa filha mais nova, casou-se com Paul Seitz, em uma linda cerimônia realizada em nossa igreja. Sentada no primeiro banco, eu, ali pela primeira vez como a mãe da noiva, estava encantada com os enfeites e os sons que tomavam conta da capela, todos providenciados em grande correria pela noiva, pela família do noivo e por amigos. Os buquês feitos com botões brancos de rosa e hera foram montados pelas amigas de faculdade de Courtney, e um amigo da família encarregou-se das fotografias. Os membros do coral em que eu cantava estavam ajudando com a música: um prelúdio de hinos tocados no órgão, repiques de sinos exatamente às 14 horas e um clarim para saudar a entrada da noiva. Amigos de longa data decoraram a plataforma com folhagens, flores brancas e uma fileira de hera colhida de seus jardins. O ambiente estava perfeito!

Um dos grandes prazeres que senti naquele dia foi o de ver tantas pessoas da família presentes à cerimônia de casamento.

A Caminhada de Uma Mulher com Deus

Na ala da família George estavam meus três irmãos acompanhados das esposas, meus pais e minha sogra. Na outra ala, estavam a mãe de Paul e uma cunhada dele. Paul estava em pé na frente da igreja, ao lado do pai, dois irmãos e um cunhado. Agradeci a Deus a bênção de ter uma família que desejava compartilhar esse momento especial com Courtney e Paul. Durante todo aquele dia, senti-me como a personagem de uma peça de teatro da escola. Tinha um papel a desempenhar e dediquei-me ao máximo para cumpri-lo – até o momento em que Katherine, nossa filha mais velha, começou a atravessar a nave do templo. Ela era a última das damas-de-honra, a dama-de-honra da irmã. De repente, o casamento e todas as emoções que o acompanhavam tornaram-se reais!

A seguir, ouvi o toque do clarim anunciando a chegada de Courtney. Levantei-me e olhei para a entrada da igreja. Lá estava Jim, meu maravilhoso marido, conduzindo nossa Courtney, cujo rosto irradiava felicidade e confiança. O momento que planejamos com tanta antecedência havia chegado. Jim conduzia nossa filha com os olhos úmidos, e Courtney tinha um porte de princesa dentro daquele vestido de noiva clássico, feito com todo carinho pela mãe de Paul. Enquanto os dois atravessavam lentamente o corredor entre os bancos, pensei a respeito da nova vida que Paul e Courtney teriam pela frente.

Chegara o momento da cerimônia, o momento de eterna significação para o qual aquela correria toda foi apenas um simples prelúdio. Jim, ministro do evangelho investido para essa finalidade, oficiou o casamento e dirigiu com maestria a parte da cerimônia em que os noivos fazem as promessas. Ele, com a autoridade de ministro e o amor de um pai, convidou o jovem casal a assumir um compromisso sério, diante de Deus e de todos os presentes – o compromisso de amar um ao outro pelo resto da vida. Sentada e chorando baixinho, ouvi Jim exortar Courtney e Paul a amar um ao outro com o amor de Cristo.

Sim, pensei, é isso que Deus deseja para esse casamento e para tudo o que existe na vida – o amor de Cristo. Seu plano é que a noiva e o noivo que se amam se tornem marido e mulher que se amam e, depois, pais e avós que se amam. Ele deseja ver Seu amor refletido nos irmãos e irmãs que se amam, nos tios e tias que se amam, nas famílias que se amam, e nos amigos que se amam. Agradeci mais uma vez a Deus pelas inúmeras provas de Seu amor, as quais estavam diante de meus olhos e completavam minha vida naquele dia especial.

Aprendendo sobre o Amor

Quando lemos o Novo Testamento, é fácil entender que o amor é importante para Deus. Ele nos exorta como mulheres que amam a Deus a...

- andar em amor (Ef 5.2)
- amar uns aos outros (Jo 15.12)
- amar nossos maridos e nossos filhos (Tt 2.4)
- amar nosso próximo (Mt 22.39)
- amar nossos inimigos (Lc 6.27)

A Bíblia também nos ensina que "Deus *é* amor" (1Jo 4.8, grifo da autora) e que Seu Filho Jesus Cristo nos amou e "se entregou a si mesmo por nós" (Ef 5.2). Também vemos a supremacia do amor quando Paulo o coloca em primeiro lugar na lista do fruto do Espírito (Gl 5.22).

Como filhas de Deus, você e eu, minha cara, somos instruídas a demonstrar o amor exemplificado por nosso Pai e Seu Filho. Jesus diz claramente: "O meu mandamento é este: que vos ameis uns aos outros, assim como eu vos amei" (Jo 15.12). E como foi exatamente que Jesus nos amou? E como deve ser

A Caminhada de Uma Mulher com Deus

esse amor que devemos estender a nosso próximo? Encontramos as respostas a essas perguntas quando nos aproximamos de Deus e de Sua Palavra. Afinal, Deus é amor e Deus é a fonte de todo amor, portanto faz sentido ler as Sagradas Escrituras para aprender o que *Ele* diz a respeito do amor! Agora, vamos analisar os cinco princípios básicos da Palavra de Deus que podem nos ajudar a compreender o amor cristão.

Princípio nº 1: O amor é um ato de vontade. Todo fruto do Espírito exige decisões, e o mesmo ocorre com o amor. É difícil amar em meio a circunstâncias difíceis, mas é em torno disso que a vida gira a maior parte do tempo, não é mesmo? Não sei nada a seu respeito, minha amiga, mas eu, em particular, necessito muito de amor quando estou cansada, quando estou sofrendo, quando estou magoada ou quando estou me sentindo exaurida. Em tempos difíceis como esses, não sinto disposição para amar as outras pessoas. Estou aprendendo que é exatamente nesses momentos que é necessário ativar a vontade, se eu quiser levar as ações de amor até o fim. O comentarista William Barclay observa que o amor "é... um sentimento tanto da mente quanto do coração: o amor diz respeito à vontade tanto quanto diz respeito às emoções; o amor descreve o esforço deliberado de nossa parte – que só pode ser conseguido com a ajuda de Deus..."[1] Veja bem, o amor cristão é um ato de vontade que "necessita ser diretamente cultivado".[2]

Sim, o amor que Cristo exemplificou exige decisões deliberadas e um esforço consciente. Seu amor *em* nós é que nos capacita a ofertar esse amor quando desejamos retê-lo; ser útil aos outros quando estamos cansadas e queremos um pouco de sossego; servir quando queremos ser servidas; e ajudar alguém quando estamos sofrendo. Não é de admirar que o Dr. George Sweeting tenha escrito: "Amor é trabalho.

Buscando Amor em Deus

Ele exige esforço consciente e inconsciente. Exige um compromisso constante, vinte e quatro horas por dia".[3] Esse tipo de amor, é claro, vem unicamente de Deus, e é por isso que você e eu necessitamos desesperadamente de sua graça, pois só assim podemos ofertá-lo a outras pessoas! Para melhor compreensão do amor, reflita sobre os atos de vontade que existem por trás do amor de Deus e de Jesus, revelados na Bíblia:

- Deus amou ao mundo de tal maneira que *deu* o seu Filho unigênito (Jo 3.16, grifo da autora);
- O Filho do homem, que não veio para ser servido, mas para *servir* e *dar* a sua vida (Mt 20.28, grifos da autora);
- Jesus "manifestou, no semblante, a *intrépida resolução* de ir para Jerusalém" (Lc 9.51, grifos da autora), onde Ele morreria por nós.

Dar, servir, ir para Jerusalém, morrer na cruz – esses atos de amor são atos de vontade, e não gestos impulsivos, movidos e sustentados por uma mera emoção. É Deus quem nos dá a vontade de amar e a capacidade para agir de acordo com nossas decisões de amar da maneira que Ele nos exorta a amar. Você está disposta a olhar para Deus a fim de que Ele a abasteça com o tipo de amor que se entrega, que serve e que morre para si mesma em favor de outra pessoa, ou seja, o tipo de amor exemplificado por nosso Salvador? Essa, minha cara, é a única maneira que temos de caminhar com Deus!

Princípio nº 2: Amor é ação, e não meras palavras. O amor é manifestado por algo que *fazemos*, e não pelas palavras que *dizemos*. Mas agir por amor nem sempre é fácil. Quem conhece isso muito bem é a esposa que volta para casa às 17h30min,

A Caminhada de Uma Mulher com Deus

pouco antes da chegada do marido! Ambos tiveram um longo dia de trabalho no escritório, portanto... *quem* acaba por preparar o jantar, lavar a louça e as roupas do dia? Amor é isso, mesmo quando você e eu estamos exaustas e queremos ficar sentadas, sem fazer nada, mas temos de cozinhar, servir e lavar. Veja bem, o amor tem trabalho para fazer, e o amor faz esse trabalho – o amor age – mesmo quando ele exige um grande esforço. Nossas ações – que sustentam nossas palavras – são provas de amor. É por isso que somos instruídas a amar, não "de palavras, nem de língua, mas de fato e de verdade" (1Jo 3.18). Tenho certeza de que Courtney está descobrindo, continuamente, o que significam as *palavras* de promessa proferidas na cerimônia de seu casamento, à medida que ela, diariamente, as põe em prática, com a ajuda de Deus, por meio de *atos* de amor a Paul. Também tenho certeza de que ela está aprendendo que necessita recorrer a Deus para que Ele lhe dê a capacidade de estender ao marido (e a todas as outras pessoas com quem convive) esse tipo de amor que se dispõe a servir.

E agora, querida amiga, onde Deus *a* colocou para demonstrar amor por meio de suas ações? Usando uma frase de Edith Schaeffer, autora, esposa, mãe, dona-de-casa e avó, a quem *você* pode demonstrar amor "nas circunstâncias terrenas e cotidianas da vida"?[4] Cada membro da família lhe proporciona uma oportunidade de vestir as roupas de amor e servir. Se você sai todos os dias de casa para trabalhar, o amor também pode ser demonstrado em seu emprego. Se você divide um quarto com outras mulheres, arregace as mangas e lance um desafio a si mesma para trabalhar com amor. Em seu bairro, em seu trabalho como voluntária, na igreja, em lugares de recreação, você deve demonstrar o amor de Deus, não apenas por meio de palavras e atitudes, mas por meio de ações. E o Espírito de Deus, que trabalha *em você*, fará o glorioso fruto de amor florescer em sua vida à medida que você caminha com Ele e realiza sua obra de amor.

Princípio nº 3: O amor estende a mão a pessoas desagradáveis. Você não acha fácil amar os cristãos que nos amam e as pessoas que dizem: "Muito obrigado!", quando você pratica um ato de bondade? Sim, é fácil amar quem nos ama, mas é difícil demais amar quem é desagradável. As pessoas cruéis, detestáveis e antipáticas apresentam um tremendo desafio para mim quando se trata de amá-las.

Contudo, é exatamente isso que Jesus nos exorta a fazer, como mulheres que O amam. No Sermão do Monte, Ele escandalizou Seus ouvintes quando disse: "Ouvistes que foi dito: Amarás o teu próximo e odiarás o teu inimigo. Eu, porém, vos digo: Amai os vossos inimigos e orai pelos que vos perseguem; para que vos torneis filhos do vosso Pai celeste, porque ele faz nascer o seu sol sobre maus e bons e vir chuvas sobre justos e injustos" (Mt 5.43-45). Em seguida, Jesus lembrou seus ouvintes de que qualquer pessoa – mesmo aquelas que não acreditam em Deus ou não seguem a Cristo – é capaz de amar quem a ama: "Porque se amardes os que vos amam, que recompensa tendes? Não fazem os publicanos também o mesmo? E, se saudardes somente os vossos irmãos, que fazeis de mais? Não fazem os gentios também o mesmo?" (vv. 46,47). Na narrativa do Evangelho de Lucas, a respeito do mesmo assunto, Jesus disse: "Se amais os que vos amam, qual é a vossa recompensa? Porque até os pecadores amam aos que os amam. Se fizerdes o bem aos que vos fazem o bem, qual é a vossa recompensa? Até os pecadores fazem isso" (Lc 6.32,33).

Você entende que Deus nos exorta a amar quem não nos ama, da mesma forma que Ele faz quando, por exemplo, ama cada uma de nós? O amor de Deus nunca é merecido – Ele simplesmente nos ama. E é esse tipo de amor que você e eu devemos estender uns aos outros, tanto a amigos como a

A Caminhada de Uma Mulher com Deus

inimigos, tanto a quem nos ama como a quem é desagradável. Devemos agradecer a Deus porque, quando o Espírito trabalha em nossa vida, Ele nos capacita a fazer aquilo que Jesus nos ordenou: "Amai, porém, os vossos inimigos, fazei o bem... e sereis filhos do Altíssimo. Pois ele é benigno até para com os ingratos e maus" (Lc 6.35).

Quem, em seu mundo, se enquadra na categoria dos "desagradáveis"? Quem é irritante, inoportuno, ingrato ou, até mesmo, mau e injusto? Quem torna sua vida difícil e só lhe dá problemas e dores de cabeça? Cada uma dessas pessoas deve ser objeto de seu amor. Afinal, como o autor Jerry Bridges diz: "Reconhecer que existe alguém que não amo é o mesmo que dizer a Deus: 'Eu não O amo o suficiente para amar aquela pessoa.'"[5] Por meio de seu Espírito, Deus proporciona a graça de que necessitamos para estender seu amor às pessoas carentes que cruzam nosso caminho. Por meio de seu Espírito, Deus nos capacita a amar da mesma forma que Ele ama – todas as pessoas... o tempo todo... e incondicionalmente.

Princípio nº 4: Necessitamos da ajuda de Deus para amar. Da mesma forma que você e eu necessitamos da ajuda de Deus para cada um dos frutos do Espírito, também necessitamos confiar em Deus para amar. No Sermão do Monte, Jesus observou que é perfeitamente natural amar quem nos ama, mas amar quem nos detesta é um fato que transcende às leis da natureza. Se fôssemos agir por impulso natural, detestaríamos nossos inimigos. Cristo, porém, nos exorta a amar nossos inimigos. E, para isso, precisamos permitir que Deus os ame por intermédio de nós, quando não conseguimos fazer isso por conta própria.

William Barclay escreve: "[Amar] significa que, independentemente do que um homem venha a nos fazer por meio de insulto, injúria ou humilhação, jamais deveremos ter outra atitude que não seja a de querer o bem para esse homem... jamais... desejar qualquer outra coisa que não seja o melhor, até mesmo para quem deseja o pior para nós".[6] Evidentemente, necessitamos que Deus nos ajude a amar quem nos odeia! E, quando caminhamos com Deus e amamos as pessoas desagradáveis com o mesmo amor com que Ele nos ama, tornamo-nos testemunhas do que Ele pode fazer na vida de uma pessoa. Nossa vida passa a ostentar a marca de Deus, porque somente Ele pode nos capacitar a servir a pessoa que nos insulta, despreza ou ofende. Essa injúria, na verdade, nos torna muito mais dependentes de Deus, principalmente quando desejamos obedecer a Seu mandamento e amar quem não nos ama.

Recentemente, li a respeito da vida do bispo Whipple, de Minnesota, um missionário conhecido como "O Apóstolo dos Índios". Ao comentar sobre seu trabalho, o bispo disse que, por trinta anos, tentou ver o rosto de Cristo nos rostos dos índios para quem ele pregava – a fim de amá-los com o amor de Cristo.[7] Será que você deseja amar pessoas problemáticas, ingratas, rudes, desagradáveis com o amor de Cristo? Se você conseguir ver Jesus na pessoa que lhe causa sofrimento, será capaz – pelo poder do Espírito Santo – de estender o amor de Deus a essa pessoa (Rm 5.5). O amor com que Deus nos ama deve ser repartido com nossos semelhantes, e nós, que seguimos a Cristo, não podemos esquecer que as pessoas mais difíceis de ser amadas são aquelas que mais necessitam de amor.

Princípio nº 5: O amor não espera nada em troca. Você não acha que quando somos benevolentes com alguém, esperamos que aquela pessoa também seja benevolente conosco? E que, quando amamos alguém, também esperamos ser amadas? Mas quando Jesus nos exortou a amar nossos inimigos e fazer

A Caminhada de Uma Mulher com Deus

o bem a eles, também fomos exortadas a fazer o bem a eles "sem esperar nenhuma paga" (Lc 6.35). Quando amamos da mesma forma que Deus nos ama e, de modo semelhante a Ele, fazemos o bem "até para com os ingratos e maus" (Lc 6.35), descobrimos que devemos amar sem esperar nenhuma recompensa pessoal.

E essa pergunta, que as esposas me fazem com freqüência, revelou-me que é comum encontrarmos esse tipo de pessoa ingrata dentro de nossa casa!

– Liz – dizem-me elas –, sou uma esposa dedicada a meu marido, mas não recebo nada em troca. Estou fazendo o que posso para demonstrar que o amo, mas sinto-me desprezada e, às vezes, penso que ele está se aproveitando de minha bondade. Será que devo parar de ser tão dedicada a ele?

Talvez você também sinta o mesmo. O que uma esposa *deve fazer* em situações como esta?

Até mesmo em nossa casa – e principalmente em nossa casa – necessitamos do Espírito de Deus trabalhando em nós, se quisermos amar verdadeiramente como Cristo nos ama. Seria de grande valia se você e eu lembrássemos que Deus é bom até para com os ingratos (Lc 6.35). E não se esqueça: esse é o tipo de amor que Deus nos oferece em Jesus (Rm 5.8,10)! Portanto, quando você e eu nos dedicamos a nossos maridos (ou a qualquer outra pessoa), devemos servi-los simplesmente porque Deus habita em nós e deseja estender Seu amor a todas as pessoas por nosso intermédio (Rm 5.5).

E eis aqui outra passagem da Palavra de Deus para nos ajudar: devemos amar e servir tendo sempre em mente que a pessoa que está diante de nós é o próprio Jesus! Em João 13.34, Jesus diz: "Novo mandamento vos dou: que vos ameis uns aos outros; assim como eu vos amei, que também vós ameis uns aos outros." Em Efésios 5.22 lemos: "As mulheres sejam submissas ao seu próprio marido, como ao Senhor".

Buscando Amor em Deus

Você não acha que esses dois textos têm relação um com o outro? Uma versão da Bíblia, a nova tradução na linguagem de hoje, diz: "Esposa obedeça ao seu marido, como você obedece ao Senhor". Na mesma passagem, os maridos também são instruídos a amar suas esposas "como também Cristo amou a igreja e a si mesmo se entregou por ela" (v. 25). Veja bem, o amor que a Bíblia nos ordena a estender a nosso casamento, a nosso lar, a nossos vizinhos, a nossa igreja e ao mundo em geral não é interesseiro. Ao contrário, é um amor que não espera nada em troca. Seu único intuito é que amemos como Jesus amou e oremos para que outras pessoas aceitem a mensagem do amor de Deus por nosso intermédio.

Definindo o Amor

Conforme esses cinco princípios do amor bíblico revelam claramente, amar é *sacrificar a si mesmo*. Esta simples definição parece consolidar tudo o que a Bíblia ensina a respeito do amor. O Dr. John MacArthur elabora esse conceito: "Amor não é uma emoção. É um ato de auto-sacrifício. Não é necessariamente sentir amor por uma determinada pessoa. Não há necessidade de ter alguma emoção ligada a ele (Rm 5.8). Deus sempre define o amor bíblico em termos de auto-sacrifício".[8] Uma vez que o amor é um auto-sacrifício, torna-se evidente que ele exige empenho, e não apenas emoção. Exige ação, e não apenas sentimento. É algo que fazemos, e não algo que apenas sentimos ou dizemos.

Quando eu era uma jovem mãe, lembro-me muito bem de ter aprendido que amar é sacrificar-se. Katherine, nossa primeira filha, era o bebê com que todas as mães sonham – sorridente e receptiva. Amava todas as pessoas e adorava que alguém a carregasse no colo. Nós a levávamos a todos os lugares, porque era fácil cuidar dela, e divertíamo-nos em sua companhia. Mas Courtney, nossa segunda filha, sofreu cólicas intestinais desde o primeiro dia! Ela chorou e se contorceu de dor nos primeiros seis meses de vida. Estava sempre com o rosto vermelho, sentindo-se completamente desconfortável, e não reagia a nenhum ato de amor de nossa parte. Havia dias em que não era nada fácil conviver com ela debaixo do mesmo teto!

Courtney foi um verdadeiro desafio para mim. Apesar disso, continuei a cuidar dela com carinho. Eu a amava e fazia tudo o que uma mãe amorosa faz – alimentar, carregar no colo, ninar e banhar um bebê, enquanto minha filhinha esperneava e gritava. Os dias e as noites eram longos. O sono tomava conta de Courtney – e de nós – só quando ela ficava exausta. Eu certamente não *sentia* amor por ela, mas – pela graça de Deus – lhe *dava* amor. Esse foi um período em que tive de me auto-sacrificar, praticar atos de amor e estender amor a um bebê muito problemático e de difícil convivência, sem receber nada positivo em troca. De repente, em um dia maravilhoso, Courtney relaxou e sorriu. Desde dessa época, ela tem sido uma pessoa meiga e doce! Quando as cólicas de Courtney terminaram, e ela mudou seu comportamento, continuei a amá-la com o mesmo amor sacrificial de mãe, mas, devo admitir, o sacrifício passou a ser muito mais gratificante!

E quanto a você, minha cara? Como procede nos momentos em que é necessário um amor sacrificial? Quando você e eu nos apresentamos perante o Senhor em oração, Ele nos ajuda e nos mostra os momentos em que temos a tendência a ser egoístas, e os momentos em que Ele gostaria que amassemos de forma mais sacrificial. Deus nos faz lembrar que, enquanto caminhamos com Ele, devemos obedecer-Lhe e amar uns aos outros... mesmo quando não nos sentimos dispostas a fazer isso! E Ele nos ajuda a identificar oportunidades de amar, não com palavras, mas com atos de amor. Enquanto buscamos o Espírito de Deus para nos capacitar a oferecer esse tipo de amor sacrificial, que possamos repetir as palavras da oração de São Francisco de Assis: "Ó Divino Mestre, permita que eu procure mais o amar do que o ser amado..."

Agindo com Amor

Por ser uma mulher cristã que ama a Deus e anseia por caminhar mais perto Dele, considero útil entender meu chamado para agir com amor como se essa fosse uma atribuição de Deus: devo amar qualquer pessoa que Ele colocar em meu caminho. Talvez essa história sobre uma tarefa que faço em minha casa todos os dias possa ajudá-la a agir com amor.

Plantei alguns beijos-de-frade bem em frente da porta de entrada de nossa casa. Isso significa que, quando abro a porta para fazer minha caminhada matinal, a primeira coisa que vejo todas as manhãs são essas flores tristes, lânguidas e sedentas, vergadas sobre a varanda. Na verdade, quando abro a porta, preciso tomar cuidado para não pisar nelas e esmagá-las!

Faz um bom tempo que tento cultivar essas flores. Plantei-as várias vezes sem obter sucesso – até o dia em que elas começaram a brotar, apesar da forma como essa última tentativa, feita há vários anos, foi levada a cabo: em um impulso momentâneo, apenas enfiei aleatoriamente na terra alguns brotos que haviam restado. No entanto, essas foram as únicas flores beijos-de-frade que vingaram. . Em razão do local onde estão – perto da entrada da casa – elas não recebem água dos irrigadores de meu jardim. Portanto, todos os dias preciso pegar o balde, ir até a torneira, enchê-lo de água e carregá-lo até aquelas pobres flores. Afinal, se não receberem água, elas morrerão.

Há dias em que gosto dessa pequena tarefa e sinto satisfação de regar minhas flores. Em outros dias, contudo, fico irritada: "Por que vocês não crescem e se multiplicam como fazem as outras flores?". Ou, indignada pelo trabalho que elas me dão, sinto vontade de arrancá-las e atirá-las no lixo – principalmente naquelas manhãs em que o latão de lixo está colocado perto do meio fio, em posição bastante inconveniente! Quando estou cansada, não quero perder tempo nem gastar energia para regá-las. Seria melhor abandoná-las e deixá-las morrer. Em meus dias de rebeldia e egoísmo digo: "Não preciso destas flores! Minha vida seria muito mais fácil sem elas!".

Ao longo dos anos, porém, tenho seguido à risca minha rotina de transportar o balde. Sei que se não encher o balde com água da torneira e regar minhas flores, elas morrerão. Portanto, rego-as todas as manhãs antes de minha caminhada. A única outra ocasião em que abro a porta da frente é para pegar a correspondência que chega à tarde. E, milagre dos milagres, quando abro a porta, aquelas flores empertigadas e bonitas estão sorrindo para mim! Quando olho para elas, fico satisfeita por tê-las regado. Não, nem sempre *sinto-me compelida a* fazer isso, mas faço: ajo por necessidade, e não por sentimento. Tomei essa decisão e rego as flores para mantê-las vivas.

O cuidado com essas flores mostrou-me (e espero que a você também!) uma forma de você e eu entendermos o desafio de amar as pessoas que Deus coloca em nosso caminho. Muitas vezes, não nos *sentimos compelidas a* amá-las, mas quando você e eu permitimos que Deus nos abasteça com *Seu* amor que dá vida, podemos levar *este* amor a outras pessoas e derramá-lo sobre a vida de cada uma delas. O amor não é nosso – é de Deus. Mas, quando apresentamos nosso "eu" vazio diante da *Fonte* de amor e somos abastecidos por *Ele*, temos condição de compartilhar *Seu* amor com as pessoas sedentas. Quando agimos de acordo com nossa vontade e não de acordo com nossos sentimentos, quando tomamos a

Buscando Amor em Deus

decisão de nos esforçar para amar, Deus transmite *Seu* amor a outras pessoas por nosso intermédio.

E se, por exemplo, tiver de amar meu marido da maneira que desejo amá-lo, necessito ser abastecida diariamente com o amor de Deus. Necessito aproximar-me de Deus e apresentar meu "eu" vazio diante dele. E somente depois de estar abastecida com Seu amor é que serei capaz de espargir o amor de Deus em Jim. Minha rotina de transportar o balde continua ao longo do dia, estendendo-se também a Katherine e Courtney, assim como a todas as pessoas que Deus coloca em meu caminho.

Devo confessar que alguns dias são difíceis! Mas nesses dias, quando me sinto "desidratada", recorro a Deus várias vezes para que Ele me abasteça mais uma vez com Seu amor para que eu possa reparti-lo com as pessoas que encontro em meu caminho. Quando, por exemplo, cumprimento uma mulher com simpatia, e ela não responde, minha reação humana é esta: "Bem, se é isso que ganhamos por cumprimentar alguém com simpatia, é melhor não cumprimentar mais!". Sei, porém, que é exatamente nesse momento que necessito recorrer a Deus para pedir que Ele me conceda uma dose renovada de Seu amor para eu reparti-lo com aquela mulher. Foi Deus quem a colocou em meu caminho para demonstrar Seu amor por ela, e posso apenas permitir que Ele faça isso por meu intermédio. Assim, posso me transformar no recipiente que leva o amor de Deus até ela.

Às vezes, o amor que Deus derrama sobre mim ao amanhecer parece copioso e ilimitado, e eu o distribuo durante o dia inteiro até o pôr-do-sol. Mas, de repente, surgem aqueles dias – aqueles dias *difíceis*! – em que pareço estar dando um passo para trás minuto após minuto. Talvez porque a tarefa seja difícil demais, talvez porque o coração da pessoa que estou tentando amar esteja empedernido, talvez

A Caminhada de Uma Mulher com Deus

porque meu coração esteja empedernido ou talvez porque não estou passando tempo suficiente com Deus para receber a porção de Seu amor que necessito repartir com outras pessoas – realmente não sei por que isso ocorre. Sei apenas que existe uma só coisa a fazer: continuar a aproximar-me de Deus para amar as pessoas que Ele coloca em meu caminho. Repetindo: o amor vem de Deus, e sou apenas o recipiente vazio. É a "água" que vem Dele que me abastece... desde que eu permita. E Deus age de forma diferente de mim quando rego minhas flores. Ele *sempre* deseja abastecer-me. *E* Ele fará isso todas as vezes eu necessitar dele no decorrer do dia... e no decorrer da vida. Afinal, Ele é aquele "que a todos dá liberalmente e nada lhes impropera" (Tg 1.5). Seu amor é ilimitado, e Ele tem disposição e paciência para nos abastecer com Seu amor para o repartirmos com outras pessoas. E que isso fique apenas entre nós duas: Deus e eu somos capazes de dar conta do recado!

Espero que essa ilustração de minha vida diária possa ajudá-la, minha cara, a buscar o amor de Deus... e a pôr em prática esse amor. Oro para que isso aconteça.

O Amor Vivido por Rute

Adoro procurar na Bíblia exemplos de mulheres que caminharam com Deus. E penso que encontramos em Rute um exemplo de amor sacrificial em razão das várias maneiras pelas quais que ela repartiu o amor de Deus com uma mulher difícil de ser amada: sua sogra, Noemi.

Dez anos antes de essa história começar, Noemi havia se mudado de Belém para Moabe, com seu marido e dois filhos. A Bíblia diz que ela partiu "ditosa" (Rt 1.21). Enquanto eles moravam em Moabe, os filhos se casaram e a família de Noemi aumentou com a chegada de duas noras, Orfa e Rute. No entanto, conforme Noemi contou às amigas, quando retornou a Belém após a morte do marido e dos dois filhos, "o SENHOR me fez voltar pobre" (1.21). Orfa optou por continuar em Moabe, portanto Noemi retornou a Belém acompanhada apenas de Rute. Quando o povo daquela cidade a saudou, ela disse: "Não me chameis Noemi [que significa "agradável"], chamai-me Mara [que significa "amargura"]" (v. 20). Agora, vivendo em Belém com Noemi, Rute teve a oportunidade de repartir o amor de Deus com a sogra. Ela arregaçou as mangas, resolvida a amar aquela mulher amargurada, sofrida e ressequida. Na época da colheita, ela respigou nos campos de cevada para ajudar Noemi (2.23). Rute proporcionou alimento para a sogra e para si mesma por meio desse trabalho exaustivo, em que colhia cevada.

Todas as manhãs, assim que o sol despontava no horizonte, Rute dirigia-se ao campo para respigar a cevada que os segadores deixavam para os pobres e necessitados. (Por serem viúvas, ela e Noemi se enquadravam nessa categoria!) Mas a simples tarefa de colher os grãos não era suficiente. Portanto, depois de carregar os grãos nas dobras de seu manto o dia todo, a exausta Rute precisava bater a cevada com uma varinha para debulhar os grãos (2.17). Todas as manhãs, enquanto durou a colheita, Rute levantava-se antes do nascer do sol para colher cevada no campo; e todas as noites ela retornava, após o escurecer, levando para Noemi um cesto de grãos, que, no sentido figurado, significava um cesto de amor. Rute sacrificou-se e permitiu que Deus sustentasse Noemi por seu intermédio.

Minha querida, será que você conhece alguma Mara – alguém que Deus colocou em seu caminho (ou em sua família), cuja vida está "vazia" e cheia de amargura, problemas e sofrimento? Para amar essa pessoa, você terá de buscar a Deus todos os dias, para que Ele seja sua fonte de amor, e recorrer a Ele – talvez com muita freqüência! – para receber uma dose renovada de Seu amor. Para amar essa pessoa, você terá de sacrificar o seu "eu".

O Amor Que Você Põe em Prática

Uma das maneiras de caminhar em amor – no amor de Deus – é buscá-lo para que Ele nos abasteça com o seu amor... aquele amor que, conforme estamos aprendendo, é um ato de vontade, que exige ação em vez de contentar-se com meras palavras, o qual se estende às pessoas desagradáveis, é oferecido sem receber nada em troca e envolve o sacrifício do "eu". E, acima de tudo, você e eu necessitamos da ajuda de Deus para levar adiante esse amor, e tenho uma missão para você que demonstrará a capacidade que Deus tem para ajudá-la a amar da maneira que Ele deseja: escolha uma pessoa que Deus colocou em sua vida, uma pessoa difícil de ser amada, e ponha em prática esses princípios de amor. Depois, veja o que acontece em seu coração e na vida dessa pessoa!

Enquanto você reflete sobre essa missão e tudo o que leu neste capítulo, passe algum tempo orando ao Deus de amor. Confesse a Ele todos os pensamentos desprezíveis sobre essa pessoa difícil de ser amada, todas as atitudes em relação a ela que contrariam os mandamentos de Deus a respeito do amor e quaisquer erros do passado, quando você deixou de amar essa pessoa por meio de ações ou de palavras. Peça a Deus que lhe dê forças para obedecer a estes mandamentos de seu Filho: "Amai os vossos inimigos, fazei o bem aos que vos odeiam; bendizei aos que vos maldizem, orai pelos que vos caluniam" (Lc 6.27,28). Conforme aprendemos, Deus deseja fazer isso por você. Basta que você se disponha a receber Dele Seu suprimento infinito de amor, o amor que transforma vidas.

Coisas Que Podemos Fazer Hoje para Caminhar em Amor

1. Antes de amar as pessoas que Deus coloca em seu caminho, ame aquelas que moram em sua casa. Conforme diz o ditado, "Você é aquilo que é em casa!". Portanto, *seja* uma mulher que caminha no amor de Deus... em casa.

2. Recorra a Deus durante o dia todo para receber uma dose renovada de Seu amor, para que você possa reparti-lo com outra pessoa. Ao primeiro sinal de enfraquecimento desse amor, busque o Deus de amor.

3. Lembre-se de que sua missão é servir (Gl 5.13).

4. Lembre-se de Jesus, que "não veio para ser servido, mas para *servir* e *dar* a sua vida em resgate por muitos" (Mt 20.28, grifos da autora).

Capítulo 3

Oferecendo o Sacrifício de Alegria

[...] o fruto do Espírito é [...] alegria [...]
Gálatas 5.22

Em um lindo domingo de outono, Jim e eu fomos a uma igreja na região central da Califórnia, para ele realizar o culto de ordenação de um de seus ex-alunos do The Masters Seminary. No almoço, após o culto matinal, ficamos sabendo que estávamos a apenas 45 minutos do Parque Nacional das Sequóias. Assim que o almoço terminou e retornamos para o carro, Jim sugeriu que passássemos pelo parque para ver as folhas caindo das árvores.

E lá fomos nós! No caminho até o parque e no percurso que fizemos lá dentro, ficamos encantados com as cores espetaculares e a deslumbrante obra artesanal de Deus. À tarde, quando as sombras começaram a tomar conta do parque e a temperatura caiu, resolvemos procurar um lugar para nos aquecer com uma xícara de café quente. Por fim, encontramos um único local que ainda não estava fechado para o inverno. Depois de estacionarmos o carro, Jim e eu caminhamos ao longo da trilha que levava à rústica casa de pedras. Enquanto atravessávamos uma pequena ponte, paramos para admirar

A Caminhada de Uma Mulher com Deus

o riacho que corria debaixo dela, cujo som das águas era agradável e refrescante. Olhamos por cima do corrimão e ficamos surpresos ao descobrir por que o som daquela água era tão suave. Avistamos pilhas de pedras grandes e irregulares que obstruíam a passagem da água e redirecionavam seu curso. Apesar disso, o pequeno riacho produzia sons de profunda alegria! Jim e eu nos maravilhamos ao ver que um empecilho tão traumático era capaz de produzir algo tão encantador!

Você não acha que esse riacho é um retrato da vida real – ou pelo menos um retrato do que a vida cristã deveria ser? Nossa vida é repleta de desapontamentos, crises, tragédias, problemas, aflições e lutas – conforme Jesus nos alertou (Jo 16.33)! Mas a boa nova é esta: quando você e eu nos deparamos com pedras inquietadoras que impedem nosso progresso, perturbam nossa tranqüilidade, impedem nossa passagem e redirecionam nosso curso, Deus pode nos dar a alegria de que necessitamos para produzirmos sons de louvor a Ele.

Minha amada, Jesus deseja que nossa alegria seja completa (Jo 16.24), mas as aflições, as perdas, o estresse e o sofrimento podem nos roubar facilmente qualquer sensação de alegria. No entanto, quando fixamos o olhar em Deus em meio a nosso sofrimento, descobrimos, de repente, o poder de que necessitamos para louvá-Lo e render-lhe graças por sua bondade, apesar da dor... mesmo quando a situação não é tão boa. Graças à obra de Seu Espírito em nós, você e eu podemos sentir aquela alegria que transcende às circunstâncias e transforma algo traumático em algo realmente encantador.

O Que a Bíblia Diz a Respeito da Alegria

Todos os anos, tenho o privilégio de falar a um grupo de mulheres no The Logos Bible Institute sobre o Livro de Filipenses, a pequenina, porém vibrante, epístola de Paulo

Oferecendo o Sacrifício de Alegria

que fala sobre a alegria. Quando preparei minhas primeiras palestras para o curso, fiquei surpresa diante de tantas referências que a Bíblia faz à alegria, o próximo fruto do Espírito da lista de Paulo. O que podemos aprender na Bíblia a respeito da alegria, principalmente nas mais de setenta referências que o Novo Testamento faz a ela?

Primeiro, vemos que *a alegria é importante para Jesus*. Na ceia que antecedeu a Páscoa, Jesus descreveu, pouco antes de ser crucificado, o relacionamento especial que Ele teria com Seus discípulos se eles permanecessem Nele e em Seu amor. Jesus encerrou essa parte de Seus ensinamentos dizendo: "Tenho-vos dito estas coisas para que o meu *gozo* esteja em vós, e o vosso *gozo* seja completo" (Jo 15.11, grifos da autora). Jesus queria que Seus discípulos conhecessem a alegria da comunhão com Ele, a forma mais completa de alegria!

Segundo, vemos que a genuína alegria – que tem raízes em Cristo – *é uma expressão da vida piedosa*. Veja bem, a alegria é um sinal evidente da presença de Deus em nossa vida. Em outras palavras, nossa alegria é "a alegria de Deus sendo transmitida a um cristão"[1], "uma alegria cujo fundamento é Deus"[2]. Embora a alegria seja o elemento básico para uma vida piedosa, ela geralmente parece estar faltando em nossa vida, embora, como filhas de Deus, tenhamos ótimos motivos para nos alegrar.

Motivo n⁰ 1: Nossa alegria é permanente. Ela é permanente porque tem raízes em nosso Deus amoroso e imutável. Em João 16.22 Jesus diz que "a vossa alegria ninguém poderá tirar". No entanto, há uma coisa que pode roubar de nós a alegria que Deus nos proporciona: isso ocorre quando deixamos de andar no Espírito (Gl 5.16). O Espírito Santo desenvolve esse fruto em nossa vida quando permanecemos em Cristo e caminhamos em obediência a Ele.

A Caminhada de Uma Mulher com Deus

Motivo nº 2: Nossa alegria é sempre acessível. Pelo fato de ter raízes em nosso Deus fiel e sempre presente, nossa alegria é sempre acessível. É por isso que você e eu podemos nos alegrar sempre no Senhor (Fp 4.4)! Sejam quais forem as circunstâncias de nossa vida, temos fácil acesso à Fonte da verdadeira alegria, todas as vezes que recorremos a Ele.

Motivo nº 3: Nossa alegria também é indizível (1Pe 1.8). A alegria no Espírito é uma "alegria que não pode ser expressada com palavras"[3]. Descrita como "um antegozo da alegria do céu"[4], a alegria do cristão não pode ser totalmente expressada ou articulada.[5] Não conseguimos explicar por que sentimos alegria, quando em nossa vida não há motivos para estarmos alegres.

Espero que você entenda agora por que devemos reconhecer que a verdadeira alegria espiritual *não significa* felicidade. "Felicidade" é um estado de sucesso e prosperidade relacionado às circunstâncias, e dependente delas. Quando tudo vai bem, somos felizes; mas assim que uma nuvem escura ou uma perturbação entra em nossa vida, a felicidade desaparece. A felicidade pode ser uma falsa alegria, e uma vez que circunstâncias fáceis não são comuns à vida (Jo 16.33), a felicidade é ilusória. O apóstolo Paulo pregou esta verdade: "Ora, todos quantos querem viver piedosamente em Cristo Jesus serão perseguidos" (2Tm 3.12). A alegria de Deus é uma dádiva divina quando enfrentamos os problemas, a tribulação e a perseguição neste mundo, e essa alegria sobrenatural, concedida mediante o Espírito de Deus, transcende a todas as condições de vida.

Como filhas de Deus, por meio do novo nascimento, você e eu somos capazes de beber a água do fluxo inesgotável de alegria que vem de Deus – independentemente do que a vida

Oferecendo o Sacrifício de Alegria

possa nos oferecer! Faça uma pausa neste momento e louve a Deus para que nossa alegria como cristãs...

⊛ não dependa de circunstâncias, mas das realidades espirituais da bondade de Deus, de Seu amor incondicional por nós e de Sua suprema vitória sobre o pecado e as trevas.

⊛ não se baseie em esforços, realizações ou força de vontade, mas na verdade acerca de nosso relacionamento com o Pai por intermédio do Filho.

⊛ não seja simplesmente uma emoção, mas o resultado de uma escolha: olhar além do que parece ser verdadeiro em nossa vida para olhar para o que é verdadeiro a respeito de nossa vida em Cristo.

Em suma, nossa alegria espiritual não é "uma experiência que advém de circunstâncias favoráveis [mas] é uma sensação de bem-estar dentro do coração da pessoa que sabe *que tudo está bem entre ela e o Senhor*" (grifos da autora).[6]

As Fontes de Alegria

Bem, amada filha de Deus, da mesma forma que levamos a Deus o nosso "eu" vazio para ser abastecido com seu amor, devemos também recorrer a Ele – a Fonte da verdadeira alegria – quando estamos vazias de alegria cristã. E há cinco motivos para que possamos receber dele essa alegria indescritível.

Primeiro, de acordo com o salmista, o *próprio Deus* é a principal fonte de nossa alegria. O salmista revela seu grande anseio: "Então irei ao altar de Deus, de Deus que é a minha grande alegria" (Sl 43.4). A tradução literal dessa referência a Deus seria: "do Deus que é a alegria de meu júbilo"[7]. Você considera Deus sua "grande alegria" ou "a alegria de seu júbilo"? Você recorre a Ele, que habita em seu coração, para receber alegria? Deus – a única Fonte da verdadeira alegria – deseja oferecer a alegria Dele a você. Basta apenas que você recorra a Ele para recebê-la.

Segundo, a *salvação de Deus* é um grande motivo de alegria. Você já deve ter notado que, quando as pessoas falam de sua conversão, as palavras delas são sempre cheias de júbilo! Isaías, por exemplo, não conteve sua alegria quando pensou em tudo o que Deus havia feito por ele e escreveu o seguinte: "Regozijar-me-ei muito no Senhor, a minha alma se alegra no meu Deus; porque me cobriu de vestes de salvação e me envolveu com o manto da justiça" (Is 61.10). Em razão do alto preço pago por Deus para obter nossa salvação mediante a morte de Seu Filho, temos discernimento para refletir sobre nossa salvação e o que ela significa. Devemos fazer isso sem perder o contato com a Fonte da alegria.

Terceiro, as *promessas de Deus* também nos causam grande alegria – e Suas promessas são numerosas. Em nossa casa, houve uma época em que deixávamos sobre a mesa do café da manhã uma pequena vasilha de plástico, semelhante a uma fôrma para assar bolo inglês, contendo cartões. Em cada cartão havia uma promessa da Bíblia. Todas as manhãs, um de nós fechava os olhos, pegava uma promessa e a lia como parte de nosso culto doméstico. Na hora do jantar, conversávamos sobre a promessa do dia e constatávamos que Deus havia sido fiel à Sua Palavra no decorrer daquele dia. Minha querida, sua Bíblia é semelhante àquela vasilha de plástico: está recheada de promessas – (de acordo com o cálculo de alguém) chega a 8.000![8]

Mary, uma amiga minha, sofre de uma enfermidade crônica e usa as promessas de Deus para encontrar alegria na vida. Ela escreve:

Oferecendo o Sacrifício de Alegria

Meu problema de saúde rouba-me a alegria com freqüência. O desespero, a depressão, a autopiedade e outras atitudes da natureza humana costumam tomar conta de mim. Esta semana, quando estava muito angustiada, concentrei-me em Deus. Enquanto orava para encontrar alívio para minha dor, lembrei-me de várias promessas da Bíblia. Lembrei-me de que Deus é um Deus que nos conforta em toda a nossa angústia (2Co 1.3,4). Foi muito bom também me lembrar de que Deus está no controle de tudo e tem um propósito para mim (2Tm 1.9; Ef 1.11). Ele está usando essa angústia para fazer prevalecer Sua vontade sobre mim – ajudar-me a ser mais semelhante a Cristo – para meu bem e para Sua glória (Rm 8.28). Portanto, continuarei a agradecer-Lhe por esta [enfermidade] todos os dias, mesmo que não compreenda perfeitamente qual é o propósito que existe por trás disso.

Conforme Mary está aprendendo, as promessas de Deus para nós são uma reserva inesgotável de alegria que você e eu podemos extrair a qualquer momento. Basta abrir Sua Palavra e acreditar em Suas promessas. E melhor ainda: memorize algumas promessas e esconda-as no fundo de seu coração!

Quarto, o *reino de Cristo* é um motivo de alegria para nós. Quando aceitamos Jesus como nosso Salvador e Senhor e somos recebidas em seu reino, os anjos de Deus se rejubilam (Lc 15.10). E as boas novas de que há outras almas se rendendo a Cristo também deve ser motivo de grande júbilo para nós. Essa mesma alegria foi sentida pela igreja primitiva, conforme a descrição no livro de Atos. Paulo e Barnabé viajaram de uma cidade a outra descrevendo, em

A Caminhada de Uma Mulher com Deus

detalhes, a conversão dos gentios, levando grande *alegria* a todos os irmãos (At 15.3, grifo da autora). Provo um pouco dessa alegria nos batismos em minha igreja. Ouvir homens e mulheres contando como Deus transformou a vida deles é, para mim, uma fonte de alegria!

Por último, *nosso futuro em Cristo* também deveria nos trazer alegria quando enfrentamos os problemas da vida e lidamos com o sofrimento que temos de suportar. Da mesma forma que planejamos receber uma recompensa para comemorar o final de uma temporada estressante da vida, devemos também aguardar com ansiedade o futuro que teremos com Cristo – não um futuro de morte, mas um futuro de vida eterna com Deus no céu! O Salmo 16.11 descreve como será o futuro na presença de Deus: "Tu me farás ver os caminhos da vida; na tua presença há *plenitude de alegria*, na tua destra *delícias perpetuamente*" (grifos da autora). Preciosa amiga, quando as provações da vida parecerem insuportáveis e intermináveis, você pode aguardar, com grande expectativa e serenidade, por seu futuro lar com Deus no céu – onde "não haverá luto, nem pranto, nem dor" (Ap 21.4) – e sentir uma profunda alegria, apesar do sofrimento neste mundo.

A alegria do Senhor é maravilhosamente oferecida a nós vinte e quatro horas por dia, todos os dias, em quaisquer circunstâncias! Conheço a esposa de um seminarista que voltou a trabalhar para que o marido pudesse terminar os estudos.

– Quando tive de enfrentar um dia inteiro de trabalho com vários projetos em andamento – recorda-se ela –, senti-me exausta e abatida, com pena de mim mesma por ter de estar ali. Deus, porém, conhecia meu desejo supremo de produzir frutos, e o Espírito Santo fez-me lembrar que, apesar das circunstâncias, eu poderia sentir grande alegria! Portanto, corri até à Fonte e permiti que Deus me abastecesse plenamente de alegria.

Oferecendo o Sacrifício de Alegria

Louvado seja Deus, porque essa dose generosa de alegria também pode ser concedida a você e a mim! Para isso, basta que nos concentremos em Deus – não em nossa tristeza; basta que nos concentremos no que é eterno – e não nas coisas temporais. Experimentamos a alegria *do* Senhor quando recorremos a Ele e encontramos nossa alegria *no* Senhor. A verdadeira alegria – a alegria espiritual – somente é encontrada nas coisas de Deus. Você e eu, quando pedimos a Deus que nos capacite a andar com Ele e a permanecer Nele, cultivamos o fruto da alegria. Peça a Deus que lhe conceda Sua graça. Peça-Lhe que a ajude a lembrar-se, em tempos de necessidade, de que necessita recorrer a Ele para ser abastecida com Sua alegria.

Uma Ilustração para Descrever a Alegria

Certo dia, Katherine, minha filha, recebeu um telefonema inusitado de um colega de faculdade que estava elaborando catálogos de diamantes, tanto impressos como em vídeo. Steve tinha tudo o que necessitava para produzir o catálogo: diamantes, estúdio, câmera e luzes. Mas faltava-lhe uma coisa: um par de belas mãos. Uma amiga do The Master's College dissera-lhe:

– Katherine George tem as mãos mais bonitas que já vi.

Bem, depois dessa recomendação, Steve telefonou para Katherine.

Minha filha foi até o centro de Los Angeles para colaborar com o catálogo de diamantes de Steve. Quando chegou ao estúdio, Steve preparou a câmera e as luzes. Em seguida, abriu uma maleta e retirou de dentro um pedaço de veludo preto para servir de pano de fundo para os diamantes. Depois de acender as luzes do estúdio, ele retirou os diamantes do estojo para que Katherine, um após o outro, posasse com todos eles.

Steve, enquanto instruía minha filha para levantar vagarosamente a mão do veludo preto e aproximá-la da luz, explicou:

– Quando o diamante é colocado contra um fundo escuro, ele aparenta ser mais brilhante. E quando ele se aproxima da luz, todas as facetas dele são reveladas e emitem raios cintilantes. O diamante por si só é muito bonito, mas quando o colocamos contra um fundo escuro e o aproximamos da luz, seu brilho e sua glória são realçados.

Ah, minha amiga! Que descrição perfeita da alegria! A verdadeira alegria espiritual brilha contra a escuridão das tribulações, das tragédias e das provações! E quanto mais escuro for o pano de fundo, mais intenso será o brilho. De forma semelhante, as lutas na escuridão da vida tornam a alegria cristã mais intensa e nosso louvor sincero mais glorioso. Um escritor observou que Deus "incrusta no sofrimento a jóia de Sua alegria"[9].

O Sacrifício de Louvor

Com essa imagem em mente, considero *o sacrifício de louvor* um *slogan* que ajuda a cultivar o fruto da alegria. Deixe-me explicar.

Quando a vida é boa, os atos de louvor e ação de graças fluem automaticamente de meu coração e de minha boca. Mas quando a vida se torna obscura, o louvor e a ação de graças não fluem com tanta facilidade! Nesses momentos, tenho de forçar-me a seguir este conselho da Palavra de Deus: "Em tudo dai graças, porque esta é a vontade de Deus em Cristo Jesus para convosco" (1Ts 5.18). Embora eu não *sinta* disposição para louvar ao Senhor ou agradecer-lhe, *faço* o que Ele manda, e esse esforço transforma meu louvor em sacrifício. Quando me entrego à autopiedade ou à depressão e concentro-me no sofrimento, meu louvor a Deus se transforma em sacrifício.

Mas, quando elevo a Deus um sacrifício de louvor em meio à escuridão de minhas provações, a alegria do Espírito é ampliada em minha vida – como se estivesse colocando um diamante perto da luz e contra um fundo negro para realçar seu brilho!

Estou aprendendo a oferecer esse sacrifício de louvor quando estou sofrendo, porque este é o mandamento de Deus para nós: "Alegrai-vos *sempre*" (Fp 4.4, grifo da autora)! E fico feliz porque Ele nos apresenta exemplos reais em Sua Palavra. No Antigo Testamento, por exemplo, o rei Davi adora a Deus na casa do Senhor, apesar dos ataques de seus inimigos. Desviando o olhar da provação e concentrando-se em Deus, seu Protetor, Davi declara, mesmo diante dos problemas que enfrentava: "No seu tabernáculo, oferecerei sacrifício de júbilo" (Sl 27.6).

Necessito da alegria de Deus – e admito isso! Eu (e talvez você também) necessito mais de Sua alegria quando a situação está tenebrosa. Nós duas necessitamos de alegria quando estamos sofrendo e somos mal compreendidas, quando somos rejeitadas e odiadas e quando estamos atravessando um sofrimento físico ou emocional. Mas nosso sacrifício de louvor a Deus permite que o Espírito Santo nos abasteça com Sua alegria – a alegria que eclipsa essas circunstâncias.

É maravilhoso imaginar que, com o sacrifício de louvor, as próprias circunstâncias que nos impedem de ser alegres se transformam em solo fértil para que a alegria floresça. Sofrimento, enfermidade, aflição, dor e perda geram em nós a necessidade de recorrer a Deus para receber Sua alegria. Privação, estresse e os problemas da vida – uma agenda lotada, um grande número de responsabilidades –nos levam a recorrer ao Pai. O Espírito utiliza o sofrimento, a tristeza e a dor para que elevemos a Deus um sacrifício de louvor. E, nessas ocasiões, somos abençoadas com a inabalável alegria do Senhor!

A Caminhada de Uma Mulher com Deus

E você, minha amada? Falo de minha vida e de minhas lutas, mas sejam quais forem as circunstâncias de sua vida, este é o melhor momento para você proferir uma oração de louvor a seu Pai amoroso e compreensivo. Que tal permitir que o doce aroma de seu sacrifício se eleve em direção ao céu, para que Deus a conforte com Sua meiga presença? Permita que essa oração lhe dê maior conscientização da presença Dele. Você também pode conhecer a plenitude da alegria que existe Nele.

Os Sons de Alegria

É um fato amplamente conhecido que Susannah Spurgeon, esposa do pregador C.H. Spurgeon, sofria de uma debilidade física que progredia a cada ano. Por fim, chegou a ponto de não poder mais fazer viagens transatlânticas de navio com o marido. Portanto, além do sofrimento físico, ela também teve de suportar a ausência do marido durante cada viagem, que durava de seis a nove meses. Leia aqui o que Susannah Spurgeon escreveu em uma noite escura e fria, quando estava sentada sozinha (agora, a sensação era a de que estava sempre sozinha) perto da lareira:

> O fogo estava libertando a música retida no cerne da madeira do velho carvalho. [Enquanto] as fortes labaredas crepitavam para consumir a calosidade [da lenha endurecida] ... o fogo extraía dela uma canção e um sacrifício.
>
> Ah! Pensei, quando o fogo da aflição extrai de nós canções de louvor... o nosso Deus é verdadeiramente glorificado!... Nós não poderíamos entoar nenhum som melodioso, a não ser pelo fogo que arde à nossa volta e liberta ternas notas

Oferecendo o Sacrifício de Alegria

musicais de confiança Nele... Cantando no fogo!... Permita que a temperatura da caldeira de calefação fique sete vezes mais quente do que antes![10]

Sim, preciosa amiga, a alegria canta no fogo. A alegria glorifica a Deus entre lágrimas e sofrimento. A alegria nos impulsiona a render graças a Deus por Sua bondade... mesmo quando as circunstâncias não são boas! A alegria nos leva a oferecer o sacrifício de louvor... mesmo quando a vida não nos oferece motivo aparente para comemorações. Há sons de alegria brotando de *seu* coração e de *seus* lábios? Peça a Deus que a abençoe com Sua alegria à medida que você caminha com Ele todos os dias, até o fim da jornada.

O Cântico de Alegria de Ana

A vida de Ana era difícil e os dias tenebrosos, mas ela, uma outra mulher que caminhou com Deus, conheceu a alegria maravilhosa do Senhor. No início de 1Samuel, lemos que Elcana tinha duas esposas, Ana e Penina. "Penina tinha filhos; Ana, porém, não os tinha" (1Sm 1.2). Ano após ano, Penina gabava-se de poder gerar filhos e, com isso, provocava Ana, levando-a às lágrimas e fazendo-a perder o apetite.

Se você fosse Ana, como lidaria com a provocação de Penina? E, passando para o terreno da realidade, como você lida com aquilo que Deus está fazendo (ou não!) em sua vida neste momento? Ana tem muito a nos ensinar.

Ana sofria em silêncio. Ana não tinha filhos e, portanto, era considerada uma mulher fracassada e um constrangimento social.[11] Além disso, ela sofria diariamente devido ao tratamento que recebia da mulher com quem dividia seu amado marido. Quando Ana foi ao templo para abrir seu coração

A Caminhada de Uma Mulher com Deus

diante de Deus, o sacerdote interpretou mal o movimento de seus lábios, imaginando que ela estivesse embriagada (v. 13). Apesar de todo o sofrimento, os lábios de Ana não proferiram palavras de raiva ou de autopiedade. Ela buscou o Senhor em vez de censurar sua rival ou seu marido.

Ana não foi vingativa. Não lemos em lugar algum que Ana tenha se vingado de Penina ou de Elcana. Ela não pediu ao marido que obrigasse Penina a parar de ridicularizá-la! Na verdade, ela não contou a Elcana o que se passava, porque isso poderia provocar a ira dele contra Penina.

Ana buscou a Deus por meio da oração (1Sm 1.10-16). Em vez de recorrer a outras pessoas, Ana recorreu ao Todo-Poderoso, sabendo que Ele era o *único* que compreenderia seu problema e o *único* que poderia fazer alguma coisa para ajudá-la. Nos dias sombrios de sua vida, Ana buscou a Deus como fonte de esperança e alegria, levando seus problemas a Ele e confiando em Suas promessas. Ela poderia compartilhar seu sofrimento com o marido, mas não fez isso. Ana estava sozinha... tinha apenas Deus como companhia. Para ela, a alegria vinha de Deus, somente de Deus!

Ana alegrou-se quando ofereceu seu filho a Deus. Quando clamou a Deus em oração, Ana prometeu que, se Ele lhe concedesse um filho, ela o entregaria ao Senhor "por todos os dias da sua vida" (1Sm 1.11). O Deus Todo-Poderoso respondeu à sua oração e deu-lhe Samuel. E Ana, fiel à sua palavra, entregou a Deus seu querido filhinho – provavelmente quando ele tinha apenas três anos de idade!

No entanto, a história de Ana não termina aqui. Quando levou o filho ao tabernáculo e preparou-se para despedir-se dele, essa mãe piedosa ofereceu o sacrifício de louvor junto com o sacrifício de seu filho. Ana orou: "O meu coração se regozija no SENHOR... porquanto me alegro na tua salvação" (1Sm 2.1). Veja bem, a fonte de alegria de Ana era Deus – *não* era um ser humano, *não* era uma criança, *não* era um filho, *não* era aquela dádiva tão sonhada que Deus lhe dera e pela qual orara por muitos anos.

Você não concorda comigo que essa análise ponderada e sensata da vida de Ana nos exorta a fazer um inventário pessoal? Por exemplo, o que Deus está lhe pedindo para suportar enquanto você caminha bem próxima a Ele? Há sofrimento vindo de todas as direções? E como você trata as pessoas que estão causando ou agravando seu sofrimento? Você tem espírito vingativo? Sua língua é mordaz e ferina? Você está suportando os problemas em silêncio? Está permitindo que esses tempos difíceis sirvam para levá-la a orar, jejuar, ler diariamente a Palavra de Deus, adorá-Lo semanalmente com Seu povo? Você está buscando a Deus de todo o seu coração, de toda a sua alma, de todas as suas forças e de todo o seu entendimento (Lc 10.27)? Você sabe que pode encontrar alegria em Deus? A alegria que vem do Senhor pode ser sua – neste exato momento! – se você Lhe oferecer o sacrifício de louvor.

O Exemplo Supremo de Alegria

Jesus nos deu o exemplo supremo de alegria em meio a um imenso sofrimento. Provavelmente, não havia no mundo antigo um sofrimento maior do que ser crucificado em uma cruz romana, mas lemos em Hebreus 12.2 que "em troca da alegria que lhe estava proposta, [Jesus] suportou a cruz, não fazendo caso da ignomínia". Jesus, sabendo que Seu sofrimento resultaria em grande alegria, anteviu Seu futuro com o Pai enquanto suportava a dor lancinante da morte na cruz. Um comentarista observa: "Apesar de ser mal interpretado, apesar da rejeição, do ódio, do sofrimento que Ele suportou

A Caminhada de Uma Mulher com Deus

dos homens enquanto viveu no meio deles, o Senhor nunca perdeu a alegria no relacionamento que tinha com o Pai. E essa alegria Ele oferece a cada um de Seus seguidores".[12] A mesma alegria maravilhosa que Jesus sentiu em Suas horas mais difíceis pode ser sentida por você e por mim hoje. Você não gostaria de buscar essa alegria em Deus? Permita que Ele a ajude a suportar seus dias obscuros e cheios de sofrimento.

Cultivando Alegria

Agora, minha amiga, o que você e eu podemos fazer, em nossa caminhada diária com Ele, para cultivar esse fruto de alegria no Senhor?

- Ofereça o sacrifício de louvor a Deus continuamente – mesmo quando você não estiver disposta a fazer isso (Hb 13.15). Por meio do poder do Espírito Santo, esse ato de agradecimento transforma nosso sofrimento em louvor.

- "Tende por motivo de toda a alegria o passardes por várias provações", escreve Tiago (1.2). Conforme mencionei antes, permita que as circunstâncias que a impedem de ser alegre se transformem em solo fértil para que a alegria floresça! Isso acontece quando permitimos que os momentos difíceis da vida nos aproximem do Senhor, a única fonte de alegria genuína e de esperança verdadeira.

- "Em tudo dai graças" (1Ts 5.19). Independentemente do que estiver acontecendo – quer seja algo bom quer seja algo ruim – dê graças a Deus por Sua soberania, Seu tempo perfeito, Seu plano perfeito e Seu amor incondicional.

Oferecendo o Sacrifício de Alegria

⊗ Bendiga ao Senhor em todo o tempo (Sl 34.1). Ofereça incessantemente o sacrifício de louvor (Hb 13.15). O Espírito Santo pode e deseja usar seu louvor para abençoá-la com a alegria de Deus.

⊗ Concentre-se na realidade das promessas de Deus. Todas as vezes que você abrir a Bíblia, tenha um marcador de páginas à mão e procure as poderosas promessas que podem mudar seu estado de espírito, enchendo-o de alegria. Dê um passo a mais, ao memorizar os versículos de que você mais gostou e ao meditar sobre eles.

⊗ Levante a cabeça. Desvie seus olhos e suas esperanças do sofrimento e concentre-se no esplendor de Deus (Sl 121.1,2).

⊗ Obedeça ao mandamento de Deus de alegrar-se sempre (1Ts 5.16). O autor Jerry Bridges observa: "Não devemos ficar sentados, aguardando que as circunstâncias nos alegrem. Somos instruídos a estar sempre alegres... devemos crescer continuamente em alegria".[13]

⊗ Recorra a Deus para que Ele a abasteça com Sua alegria, sempre que você necessitar dela.

Alegre-se Sempre

Meu coração fica apertado quando faço esta pergunta, querida amiga, porque sei que, enquanto não estivermos habitando com o Senhor, sempre haverá sofrimento... mas que provação lhe está causando tanto sofrimento, tanta dor, tanta tristeza hoje? Seria uma aflição física ou uma doença

A Caminhada de Uma Mulher com Deus

terminal, um marido incrédulo, a perda da casa ou do emprego, a deterioração das finanças ou da saúde, o esfacelamento da família, o afastamento de um filho? Um desapontamento, um sonho não realizado, um desastre ou um problema físico? Uma zombaria ou uma perseguição? Uma época difícil como esposa ou mãe, como filha ou nora? Um relacionamento desgastante ou um futuro desconhecido quando você olha para a estrada da vida? Seja qual for sua grande provação hoje, permita que ela a aproxime de Deus, que ela leve você a oferecer-Lhe um sacrifício de louvor e que a capacite a ser tocada por Ele, a única Fonte de alegria verdadeira.

Coisas Que Podemos Fazer Hoje para Caminhar em Alegria

1. Conforme discutimos anteriormente, identifique a provação que está lhe causando grande sofrimento.

2. Ofereça fervorosamente a Deus o sacrifício de seu louvor (Hb 13.15)... mesmo que seja oferecido com lágrimas.

3. Considere essa provação e o que Deus pode fazer em sua vida graças a ela, que pode vir a ser uma fonte de alegria (ver Tg 1.2-4 e Rm 5.1-5).

Capítulo 4

Sentindo a Paz de Deus

> [...] o fruto do Espírito é [...] paz [...]
> Gálatas 5.22

Ann Landers, colunista de jornal e conselheira, recebe, em média, dez mil cartas por mês, quase todas escritas por pessoas com problemas. Quando lhe perguntaram qual o problema predominante em sua correspondência, ela disse que é o medo – medo que as pessoas têm de perder a saúde, os bens materiais e entes queridos.

A classe médica observa esse mesmo problema em seus pacientes. Independentemente do que eles dizem, hoje em dia a grande maioria dos pacientes habituais apresenta um sintoma em comum. Em 90% desses casos, o primeiro sintoma *não* é uma tosse ou dor no peito, mas medo... que mais cedo ou mais tarde se manifesta em forma de um sintoma clínico.

O medo nos cerca por todos os lados, mas como cristãs, querida irmã, você e eu temos um recurso dentro de nós para lidar com esses medos. Esse recurso é a paz de Deus, o próximo fruto da lista de Paulo sobre as graças cristãs. E que

A Caminhada de Uma Mulher com Deus

fruto refrescante é essa paz neste mundo louco, muito louco, louco mesmo, em que vivemos! Em nossa sociedade do tipo montanha-russa, que não nos oferece nenhuma garantia, nós, que somos filhas de Deus, podemos sentir essa paz – em qualquer circunstância de nossa vida – quando andamos em seu Espírito. À medida que somos abençoadas com a paz de Deus em meio às provações da vida, sentimos uma nova comunhão com Ele.

Compreendendo a Paz do Senhor

Qual é exatamente a paz que o Espírito de Deus nos proporciona? Muitas pessoas dizem que paz é ausência de problemas, a sensação de bem-estar que experimentamos quando tudo vai bem. Mas a paz do Senhor não tem relação alguma com as circunstâncias. A paz de Deus chega até nós e permanece... independentemente das circunstâncias da vida.

Courtney, nossa filha, e Paul, seu marido, moram em Kauai, no Havaí, a ilha que sofreu as devastações provocadas pelo furacão Iniki em 1992. Em recente visita àquela ilha, Jim e eu observamos as ruínas deixadas pelo furacão e as enormes sirenes, que servem para alertar o povo, em todas as praias e em todas as cidades. Pelo fato de termos enfrentado, pouco tempo antes, um terremoto de 6.7 no sul da Califórnia, imaginamos o medo que os moradores da ilha devem ter sentido quando ouviram as sirenes naquele fatídico dia de setembro. Imaginamos também a paz que sentiram quando aqueles mesmos aparatos, as enormes sirenes, anunciaram que tudo retornara ao normal. Mas será que você pode imaginar o que significa sentir a paz perfeita quando as sirenes estão anunciando uma tempestade ou quando um furacão está roncando a seu redor? Essa, minha amiga, é a paz que Deus proporciona a você e a mim nas tempestades da vida. Observe estas verdades acerca da paz que vem de Deus.

Sentindo a Paz de Deus

❧ Nossa paz não tem nada a ver com as circunstâncias, mas tem tudo a ver com o fato de sabermos que temos uma comunhão correta com Deus.[1]

❧ Nossa paz não tem nada a ver com os problemas ou crises do dia-a-dia, mas tem tudo a ver com o fato de sabermos que nosso tempo está nas mãos de Deus.[2]

❧ Nossa paz não tem nada a ver com as condições de nossa vida, mas tem tudo a ver com o fato de sabermos que Deus é auto-suficiente.[3]

❧ Nossa paz é um descanso interior[4] e serenidade de alma[5] que indica um coração em repouso —independentemente das circunstâncias — porque depositamos uma completa confiança em Deus, minuto após minuto.

A verdadeira paz espiritual é sentida quando *sabemos que nosso Pai celestial está continuamente conosco* — e, certamente, Ele está! Deus é onipresente e, portanto, conhece todos os detalhes de nossa vida — em todos os momentos e em todos os lugares. Ele conhece nossas necessidades — o tempo todo e em todas situações. Conforme o Salmo 139.7-12 ensina, em qualquer lugar que estivermos — seja nas alturas dos céus ou nas profundezas dos mares —, Deus está sempre presente conosco e é acessível a nós. Por isso, o segredo para a paz não está na *ausência* de conflito, mas na *presença* de Deus, qualquer que seja o conflito.[6] Preciso dizer-lhe que, neste minuto, há uma sensação renovada de paz dentro de minha alma pelo simples fato de estar *escrevendo* a respeito de um Deus pessoal e de Sua contínua presença!

A paz também é sentida com o *reconhecimento de que Deus suprirá todas as nossas necessidades* e com o reconhecimento de Sua presença constante. Por exemplo, quando

A Caminhada de Uma Mulher com Deus

Paulo pediu a Jesus que retirasse o espinho que havia em sua carne, e Ele respondeu que não, o apóstolo aprendeu a verdade contida nesta afirmação de Jesus: "A minha graça te basta" (2Co 12.9). Paulo aprendeu sozinho a verdade que ele escreveu em Filipenses 4.19: "E o meu Deus, segundo a sua riqueza em glória, há de suprir, em Cristo Jesus, cada uma de vossas necessidades". E, em 2Coríntios 9.8 ele escreveu: "Deus pode fazer-vos abundar em toda graça, a fim de que, tendo sempre, em tudo, ampla suficiência, superabundeis em toda boa obra". Você entende o que essas promessas significam para nós? Significam que jamais haverá uma necessidade real que Deus não seja capaz de suprir. Que ótimo motivo para ter paz existe nessa verdade!

Confiando em Deus

No entanto, para sentir a paz de Deus, precisamos confiar sempre nele. Jesus fez esta afirmação: "No mundo, passais por aflições" (Jo 16.33). Porém, para nós cristãs, que permanecemos em Cristo, existe paz (até na tribulação!) quando descansamos na presença de Deus e confiamos em Suas promessas. Quando você e eu caminhamos no Espírito, nossa vida *não* se caracteriza por lamúrias, pânico e ansiedade, mas pela paz silenciosa que vem com a confiança em Deus. Em meio às circunstâncias mais difíceis da vida, a paz de Deus guardará nossos corações e nossas mentes em Cristo Jesus (Fp 4.7), atuando como uma sentinela que guarda nossos pensamentos e emoções... apesar das turbulências da vida.

Penso na paz como se ela fosse o *sacrifício da confiança*. Você e eu fazemos o sacrifício da confiança quando enfrentamos as realidades dolorosas e angustiantes da vida e decidimos confiar em Deus, em vez de entrar em estado de pânico ou prostração. Quando as circunstâncias de minha vida me levam a entrar em pânico, ficar aterrorizada, sofrer um ataque de nervos ou sentir pavor, tenho duas opções:

posso render-me a essas emoções ou confiar em Deus e apresentar-me diante Dele para receber Sua paz. É preciso fazer essa escolha consciente, sempre que vejo nuvens negras à minha frente e sempre que as confusões, perturbações e perplexidades da vida ameaçam subjugar-me. Veja bem, posso confiar no Deus Todo-Poderoso ou sucumbir às emoções de natureza humana. Quando opto por confiar em Deus – fazer o sacrifício da confiança –, sinto Sua paz... mesmo em meio a um tremendo tumulto. Fazemos o sacrifício da confiança e sentimos a paz de Deus...

> quando optamos por não entrar em pânico... mas descansar na presença de Deus,
>
> quando nos libertamos do terror... e confiamos na sabedoria e nos caminhos de Deus,
>
> quando deixamos o nervosismo de lado... e lembramos que Deus está no controle,
>
> e quando não damos atenção ao medo... e aceitamos os planos de Deus.

Recebendo a Paz de Deus

Quando estamos abastecidas com o Espírito de Deus e andamos em Seus caminhos, temos acesso instantâneo à "paz de Deus, que excede todo o entendimento" (Fp 4.7). E essa paz que vem de Deus – e somente Dele – chega até nós por meio de quatro dádivas que Ele nos concedeu.

Deus, o Filho – Antes de tudo, você e eu temos paz por meio da dádiva de Jesus Cristo, o Filho de Deus. Setecentos anos antes de Jesus nascer em uma manjedoura em Belém, o profeta Isaías, do Antigo Testamento, predisse: "Porque um menino nos nasceu, um filho se nos deu [...] e o seu nome será [...] Príncipe da Paz" (Is 9.6). Esse nome, querida irmã, reflete a missão de Jesus. Ele veio à Terra para nos salvar. Sua morte no Calvário nos deu a dádiva da paz com Deus que só é obtida mediante o perdão de nossos pecados: "Justificados, pois, mediante a fé, temos paz com Deus, por meio de nosso Senhor Jesus Cristo" (Rm 5.1). Nossa paz pessoal com Deus é obtida mediante a morte do Filho de Deus na cruz.

Deus, o Pai – A segunda dádiva que nosso Pai amoroso nos concedeu é a dádiva de conhecê-Lo. Na Bíblia, aprendemos tudo a respeito de Suas promessas e de Sua fidelidade, para podermos confiar nele em tempos de necessidade. Uma dessas promessas é encontrada em Isaías 26.3: "Tu, Senhor, conservarás em perfeita paz aquele cujo propósito é firme; porque ele confia em ti". Evidentemente, não podemos evitar lutas em nossa vida aqui no mundo, mas podemos conhecer a perfeita paz em meio às turbulências quando recorremos a Deus, em vez de nos concentrarmos em nossas dificuldades.

A Palavra de Deus – A Bíblia é outra dádiva de Deus que nos ajuda a conhecê-lo por meio da revelação de Sua lei, Seus caminhos e Seus propósitos. Quando conhecemos, amamos e seguimos a Palavra de Deus, sentimos a paz que Ele nos oferece até o ponto de, para nós, *não haver* tropeço (Sl 119.165). Quando você e eu aceitamos a Palavra de Deus como padrão de vida e obedecemos a Seus mandamentos, sentimos a paz que somente é obtida mediante um correto relacionamento com Deus.

Deus, o Espírito – O Espírito Santo é nosso Ajudador, Mestre e Consolador (Jo 14.26), e a instrução, a orientação e o conforto que recebemos Dele são verdadeiras dádivas de paz. Quando permanecemos em Cristo e andamos em Seu Espírito, recebemos essa paz de Deus.

Sentindo a Paz de Deus

Portanto, como cristãs, devemos olhar para Deus – o Pai, o Filho e o Espírito Santo – e para a Palavra de Deus, a fim de encontrarmos a paz.

Escolhendo a Paz de Deus em Lugar do Pânico

Acho incrível que existam tantas situações na vida comum que causem pânico, terror, espanto, medo ou dúvida. Por exemplo, pensar na possibilidade de sustentar uma família ou na segurança dos filhos pode gerar pânico. Para muitas pessoas, a lembrança de maus tratos ou a previsão de uma catástrofe pode acionar o medo. Às vezes, o terror surge quando a pessoa precisa submeter-se a uma biópsia, enfrentar uma cirurgia ou tomar conhecimento de um diagnóstico de câncer. O sofrimento e a morte causam medo e dúvida. O perigo aciona todas essas emoções – conforme aprendi em 1994 durante o terremoto em Northridge e seus tremores subseqüentes.

Essas causas cotidianas que acionam o medo fazem parte da vida de muitas mulheres que conheço. Meu coração se condoeu da aluna que me escreveu este bilhete e orei por ela.

> Faz tempo que venho pensando em submeter-me a um exame médico devido a dores no estômago. Nas duas últimas semanas, essas dores se intensificaram, portanto marquei o exame para esta sexta-feira. Como tenho o costume de diagnosticar meus sintomas por conta própria e imaginar o que poderá acontecer, fico aflita e angustiada, e o pânico se instala dentro de mim.

Em nosso estudo bíblico semanal, outra mulher contou que estava lutando contra o medo, porque fazia três meses que seu marido estava desempregado e ele não tinha outra fonte de renda. Ela pediu que orássemos para poder continuar a

A Caminhada de Uma Mulher com Deus

descansar na paz do Senhor e no fato de que Ele está no controle completo de todas as situações.

Sim, os eventos da vida cotidiana podem gerar pânico, terror, espanto, medo e dúvida. Nessas ocasiões, necessitamos da paz de Deus; e nosso Salvador nos concede prontamente Sua paz quando optamos por confiar Nele. Conforme Elisabeth Elliot, escritora e palestrante, mencionou, você e eu precisamos confiar em Deus "até a ponta da unha do dedo mindinho". Louvado seja Deus por confiarmos Nele para resistir às situações da vida que nos causam pânico, por descansarmos no fato de que nossa vida está nas mãos Dele e por confiarmos completamente em Sua auto-suficiência.

Os discípulos de Jesus foram abençoados por terem testemunhado essa auto-suficiência de Jesus em uma situação que lhes causou um pânico compreensível. Veja o que aconteceu: depois de ensinar o povo durante um longo dia, Jesus e os doze apóstolos entraram em um barco para atravessar o lago. Lucas relata que "enquanto navegavam [...] sobreveio uma tempestade de vento no lago, correndo eles o perigo de soçobrar" (Lc 8.23). Jesus dormia, enquanto as ondas se arremessavam contra o barco e começavam a enchê-lo de água (Marcos 4.37)! Naquele momento, a paz de Deus realmente excedeu todo o entendimento! Como Jesus podia dormir durante uma tempestade tão violenta? Será que Ele não sentia a turbulência? Não sabia que poderia perder a vida exatamente ali no Mar da Galiléia?

Enquanto os discípulos entravam em pânico, Jesus permanecia calmo. A paz de Jesus vinha da certeza de que Seu tempo estava nas mãos do Pai. Veja bem, Jesus confiou e, portanto, descansou. Ele sabia que não morreria nem um segundo antes do tempo determinado por Deus e que, se Sua hora tivesse chegado, não poderia fazer nada para impedir. Permanecendo no Pai, Jesus teve plena confiança no poder e na suficiência de Deus.

Sentindo a Paz de Deus

Que contraste entre a reação de Jesus e a de Seus seguidores fiéis! (ou nada fiéis?) O pânico foi tanto que eles resolveram acordar Jesus: "Mestre, Mestre, estamos perecendo!" (Lc 8.24). Enquanto o vento assobiava, e as ondas se levantavam enfurecidas, Jesus lhes disse: "Onde está a vossa fé?" (Lc 8.25). E, quando entramos em pânico, Jesus, provavelmente, faz a mesma pergunta a você e a mim. Como os discípulos daquela época – e você e eu hoje! – tinham pouca a confiança em Jesus.

Fica claro que você e eu devemos nos lembrar de uma coisa que os discípulos não se lembraram: nossos dias estão nas mãos de Deus. Nosso Deus é auto-suficiente para atender às nossas necessidades, e o Salvador está conosco em cada passo que damos. E da mesma forma que os discípulos poderiam ter descansado se tivessem confiado, nós podemos sentir a paz de Deus quando oferecemos o sacrifício da confiança. O pânico é desnecessário. Energia desperdiçada, agitação, lamúrias e preocupações são sinais de que não estamos confiando em nosso Pai fiel. Mas, quando optamos por confiar no Senhor, podemos sentir a mesma paz em Deus que Cristo sentiu durante a tempestade no Mar da Galiléia e em muitas outras situações. Nosso Jesus, mesmo quando foi ameaçado de morte, confrontado por inimigos e quando caminhou até a cruz, descansou em Deus e sempre teve a certeza de que Sua vida aqui na Terra estava nas mãos do Pai onipotente que supriria todas as Suas necessidades.

Bem, querida leitora, será que *você* confia em Deus dessa maneira? Você permite que Deus, Seu Filho, Sua Palavra e Seu Santo Espírito sejam canais de paz? Será que você confiará em Deus assim que houver motivo para pânico? Busque a Deus neste momento e permita que o Espírito Santo a abasteça com Sua paz em tempos de provações e dificuldades.

A Caminhada de Uma Mulher com Deus

Escolhendo a Paz de Deus Quando a Pressão Aumenta

As causas das pressões que sofremos na vida talvez sejam mais predominantes do que os motivos para o pânico. Nunca temos tempo para nada – pressão! Queremos ser boas esposas e boas mães – pressão! Somos exortadas a ser boas administradoras das finanças e do lar – pressão! Empregos, amizades, responsabilidades com os pais idosos, problemas de saúde e até participações nos trabalhos da igreja – tudo isso gera pressão e nos priva da paz de Deus.

Devemos agradecer a Deus porque, enquanto vivemos no rodamoinho da vida e em meio às correrias do dia-a-dia, Sua paz nos é acessível. Não há necessidade de viver de maneira atabalhoada – sem tempo para respirar, ansiosas, preocupadas, aflitas e apressadas. Mas como?

Você se lembra de quando Jesus foi à casa de Marta e Maria? Marta recebeu Jesus em sua casa (e provavelmente os doze discípulos famintos) para oferecer-Lhe um jantar, mas estava "ocupada em muitos serviços" (Lc 10.40). Assim, não demorou muito para que a pressão para preparar a refeição roubasse-lhe a paz – um fato que se tornou bastante óbvio.

Primeiro, a *atitude de Marta* revelou exatamente o que ela sentia. Seu comportamento foi descrito como o de uma pessoa sobrecarregada de trabalho, confusa, preocupada e atarefada.[7] Ela estava tensa, corria de um lado para o outro, agitada, aflita e irritada, reclamando o tempo todo, uma descrição perfeita da ansiedade em ação. Ela estava literalmente sem fôlego, envolvida no rodamoinho da vida. A cozinheira já estava fervendo de raiva e derretendo-se de tanto trabalhar. Por fim, Marta, sem saber lidar com a pressão, aproximou-se abruptamente de Jesus e dirigiu-lhe algumas palavras.

Foi, então, que a *boca de Marta* revelou sua falta de paz. "Senhor, não te importas [...]?", perguntou ela ao Mestre de forma acusadora (v. 40). Apontando o dedo para repreender

Sentindo a Paz de Deus

Maria, Marta disse a seguir: "[...] de que minha irmã tivesse deixado que eu fique a servir sozinha?". A irmã mandona atreveu-se a dizer ao Senhor o que Ele deveria fazer: "Ordena-lhe, pois, que venha ajudar-me". Isso mesmo! Além de provocar um rebuliço na cozinha para preparar a refeição, Marta provocou um rebuliço na sala de visitas com seu destempero verbal!

A confusão de Marta acerca de *sua missão* também lhe roubou a paz. Ela estava certa por querer servir a Jesus, mas entendeu, equivocadamente, que *servir* era sua missão principal. Jesus compreendeu as prioridades confusas daquela mulher bem-intencionada e comentou: "Marta! Marta! Andas inquieta e te preocupas com muitas coisas" (v. 41). Em sua ânsia de servir a Deus, Marta esqueceu-se de que "o fim principal do homem é glorificar a Deus e desfrutar Sua presença para sempre"[8].

Enfim, deparamo-nos com a *conduta de Marta* e as prioridades que a impediram de conhecer a paz de Deus: Marta estava preocupada com detalhes e questões secundárias.[9] Seu serviço a Jesus havia se degenerado em meras atividades que não demonstravam devoção a Ele. E esse foco no serviço, em vez de em Quem ela servia, levou Jesus a instruí-la, mostrando que sua irmã Maria havia escolhido "a boa parte" (v. 42). Maria estava sentada aos pés de Jesus, ouvindo Sua Palavra e permanecendo em Sua presença. (Meu Deus! Quantas vezes ajo da mesma forma que Marta!)

E o que podemos aprender com a irmã de Marta? Acima de tudo, Maria descansava aos pés de Jesus, enquanto Marta andava inquieta de um lado para outro. Ela também adorava ao Senhor, enquanto Marta se preocupava com a refeição. Maria conhecia a paz da presença de Deus, ao passo que Marta se afligia à distância. A *atitude de Maria* revelou "um espírito manso e tranqüilo, que é de grande valor diante de Deus" (1Pe 3.4).

E a *boca de Maria* também descansou. Sentada na presença de Deus, ela tinha muito o que aprender. Veja bem, Jesus falava palavras de vida... e Maria estava tranqüila.

A *missão de Maria*, como a de sua irmã, também era a de servir, mas ela compreendeu que o ato de adoração era a prioridade mais importante. Maria, por desejar que seu relacionamento com Jesus fosse a principal prioridade de sua vida, fez escolhas que refletiram aquele desejo. Ela sabia quando parar de servir... e começar a ouvir.

Evidentemente, a *conduta de Maria* estava agradando ao Senhor. Jesus disse que ela "escolheu a boa parte e esta não lhe será tirada" (v. 42). Maria concentrou sua mente "nas coisas lá do alto, não nas que são aqui da terra" (Cl 3.2). Ela concentrou-se nas coisas que são eternas, não nas temporais (2 Co 4.18).

Sei que Maria é, definitivamente, um exemplo de que *eu* necessito para minha vida "tipo furacão" e acho que ela também é um exemplo para você! E, assim, quando planejo mais um casamento, inicio o processo demorado de reconstruir tudo após o terremoto, enfrento o prazo de entrega de um livro e faço malabarismos para cumprir a agenda do dia e os compromissos da vida, tento lembrar-me da cena de Maria sentada... descansando... adorando... em paz....

E agora é tempo de olhar mais de perto sua atitude, boca, missão e conduta. Quem uma pessoa observadora veria em você neste instante: Marta ou Maria? Você está vivendo em meio a um turbilhão ou está confiante e em paz? Está correndo em círculos ou descansando no Senhor? Suas palavras revelam pânico e pressão, ou são palavras que edificam e incentivam, que transmitem graça àqueles que ouvem (Ef 4.29)? Suas ações refletem as prioridades de Deus? Seu relacionamento com Ele é prioritário, ou você está atarefada demais para sentar-se a Seus pés e desfrutar Sua presença? A

Sentindo a Paz de Deus

mulher que escreveu as palavras abaixo sabia o que significa correria... até que o Senhor interrompeu essa correria. Vamos aprender com ela.

Estou Atarefada, Senhor!

Estou atarefada, Senhor. Certamente podes ver
As milhares de coisas que esperam por mim!
Os pratos continuam sujos na pia,
Não tenho tempo para orar e meditar.

Senhor, sei que entendes minha situação,
Porque deste estes filhos para eu cuidar;
E agora eles choram e necessitam de mim,
Senhor, tu entendes. É melhor eu me apressar.

Agora que todos dormem em paz,
Seria melhor eu tirar o pó e varrer a casa,
Descongelar a carne para o refogado
E passar a ferro uma pilha de roupas!

E o Senhor respondeu-me meigamente:
"Por que foges tanto de minha presença?
Tenho muitas tarefas para ti neste dia.
Minha filha, quero ouvir tua oração.

"Eu te amo, filha; eu te quero perto de mim,
Para que possas descansar, derramar uma lágrima.
E se Paulo tivesse parado para me dizer:
'Senhor, hoje estou atarefado demais para escrever cartas!'?

A Caminhada de Uma Mulher com Deus

"Minha filha, Eu sou tudo aquilo de que você precisa,
Podes fazer tuas tarefas domésticas afoitamente,
Mas quando terminares, haverá um vazio
Se deixares de apreciar esses momentos tranqüilos."

Ah, obrigada Senhor, por me mostrares
Que necessito muito de ti.
O que significam alguns pratos sujos
Comparados ao tempo que posso passar contigo?!

Nancy Stitzel

Que Deus possa nos dar forças, assim como deu a Maria e a Nancy, a autora deste poema, para priorizarmos "a boa parte" que não nos será tirada — nosso relacionamento com Ele!

Andando no Caminho da Paz

Bem, minha querida, agora que aprendemos um pouco mais a respeito da paz de Deus, o que você e eu podemos fazer para cultivar essa dádiva de Seu Espírito?

🕮 Podemos *orar*! E devemos dar prioridade à oração, orar com freqüência, orar continuamente. Quando nos aproximamos de Deus em oração e deixamos nossas preocupações, medos, dúvidas e ansiedades em Suas mãos, tornamo-nos mais parecidas com a Maria. Estaremos passando tempo na presença do Senhor, desfrutando comunhão com Ele, aprendendo com Ele e adorando a Ele – e, sim, sentindo Sua paz.

🕮 Podemos *fazer uma pausa* e recorrer ao Senhor em momentos de crise ou tragédia. Quando fazemos uma pausa para estar com Deus – quando reconhecemos Sua presença, Sua auto-suficiência, Seu poder, Seu amor –, Ele endireita nosso passo. E, assim que nos aproximamos dele, voltamos a sentir aquela paz que excede todo entendimento.

🕸 Podemos *examinar* os Evangelhos e estudar a vida de Jesus para entender a paz que Ele sentiu em situações tensas. Em circunstâncias difíceis, podemos aprender como permanecer no Pai por meio dos pensamentos, das palavras, das ações, das respostas e das reações de Jesus. Podemos gravar esses exemplos na mente e escrevê-los na tábua de nosso coração para seguirmos o exemplo de nosso Salvador.

Coisas Que Podemos Fazer Hoje para Caminhar em Paz

Você sabe qual é o problema que a faz agir de modo semelhante ao de Marta? Que preocupações lhe causam insônia? Que problema aflige sua mente e seu coração assim que o despertador toca todas as manhãs? Por favor, identifique esse problema, querida, e tome a decisão consciente de confiá-lo a Deus. Ao fazer esse sacrifício de confiança, você estará permitindo que *seu* coração descanse Nele e que *você* sinta Sua paz – mesmo diante do problema mais difícil que já enfrentou em sua vida!

Capítulo 5

Examinando as Atitudes de Jesus

Os três capítulos anteriores deste livro, minha amiga, trataram das circunstâncias da vida que nos convidam a demonstrar os frutos do amor, da alegria e da paz. Primeiro, é necessário sentir *amor* em situações de hostilidade, insultos, grosseria e ódio. Segundo, é necessário sentir alegria em situações de tristeza, tribulação, tragédia, aflição e provações. Terceiro, é necessário sentir paz em situações da vida que geram pânico, medo, terror, pavor e ansiedade. Ah, como você e eu somos abençoadas por podermos seguir o exemplo de Jesus Cristo, que enfrentou essas mesmas situações que produzem o fruto do Espírito! Já vimos Jesus ilustrando para nós as atitudes de amor, alegria e paz. Mas agora vamos analisar de perto a atitude de Jesus no jardim do Getsêmani, onde Ele pôs em prática essas três atitudes... apesar das circunstâncias que enfrentou.

Enquanto me preparava para escrever este capítulo, encontrei estas palavras escritas por meu pastor John MacArthur:

> Jesus, o eterno Mestre, utilizou até mesmo a luta que travou com o inimigo no jardim, na noite

anterior à crucificação, para ensinar aos discípulos e a todos os futuros crentes mais uma lição de santidade, uma lição sobre como enfrentar a tentação e as terríveis provações. Além de estar se preparando para a cruz, o Senhor também estava preparando seus seguidores, por meio de seu exemplo, para as cruzes que Ele ordena que cada um carregue em seu nome...[1]

Sabendo que você e eu desejamos andar em santidade, vamos aprender mais um pouco com Jesus enquanto analisamos aquela noite tenebrosa – uma noite literalmente negra que também foi, espiritualmente, a noite mais tenebrosa da História da humanidade, quando o Filho imaculado de Deus enfrentou a morte por nossos pecados para nos salvar.

Enquanto analisamos essa cena sagrada da vida do Salvador, que você e eu passamos a pisar em solo sagrado! A vida de Jesus na Terra está chegando ao fim, e Ele enfrenta as palavras mais terríveis e as ações mais maldosas que já foram dirigidas e perpetradas a uma pessoa. Por meio dos quatro Evangelhos que nos foram oferecidos por Deus, você e eu temos permissão para testemunhar exatamente como Jesus lidou com situações traumáticas de ódio e de tristeza.

O Plano

No decorrer de seus três anos de ensinamentos, Jesus referiu-se várias vezes ao plano de Deus para Sua morte, o que sempre causou espanto a Seus discípulos. Por exemplo, em João 7.6 Jesus disse: "O meu tempo [de morrer] ainda não chegou, mas o vosso sempre está presente". No entanto, em Mateus 26, enquanto Jesus se preparava para a última ceia, Ele afirmou exatamente o oposto: "O meu tempo *está* próximo" (v. 18, grifo da autora). Era chegada Sua hora de morrer e cumprir o plano do Pai.

Jesus e Seu pequeno rebanho de seguidores estavam em Jerusalém para celebrar a Páscoa. Juntos, eles cearam pela última vez. Judas, o traidor, já havia sido dispensado para perpetrar a maldade de trair seu Mestre, e já era quase meia-noite da quinta-feira da semana da Páscoa.[2] Nesse momento, Jesus proferiu Sua oração sacerdotal em companhia de Seus discípulos e em favor deles (Jo 17). A seguir, o grupo cantou um hino (Mt 26.30) e Jesus "saiu juntamente com seus discípulos para o outro lado do ribeiro Cedrom, onde havia um jardim; e aí entrou com eles" (Jo 18.1).

O Propósito

O que levou Jesus ao jardim do Getsêmani? Sua situação. Essa era a encruzilhada de Sua vida. O desafio que ele enfrentou em Seus últimos dias. Seu tempo havia chegado – e o que Ele teria de suportar? A traição de Seus discípulos. Incompreensão por parte de Sua família e de Seus seguidores. Rejeição por parte da humanidade. Hostilidade e perseguição. Uma multidão irada, líderes irados e pessoas iradas. Ataques físicos e verbais. Uma sentença injusta. A dor lancinante da crucificação. Morte. E, pior de tudo, a separação momentânea de Seu Pai celestial. Da perspectiva humana, Jesus estava perdendo tudo o que tinha: Sua vida, Sua família, Seu ministério, Seus amigos e Sua dignidade pessoal.

Mesmo assim o Pai celestial havia ordenado que Ele morresse por aqueles pecadores, e Jesus obedeceu. E Sua obediência beneficiou outras pessoas – inclusive você e eu! –, porque Ele morreu por pecadores como nós. Assim, ao agir movido pelo amor, Jesus se entregou como sacrifício e deu Sua vida em resgate por muitos (Mt 20.28).

O Lugar

Enfrentando o terrível desafio da cruz, Jesus seguiu para o Getsêmani (Mt 26.36). Tratava-se, provavelmente, de um

A Caminhada de Uma Mulher com Deus

local isolado e cercado por muros, onde havia algumas oliveiras e talvez uma gruta usada no outono para a extração de azeite de oliva.[3] Jesus já havia estado lá com Seus discípulos (Jo 18.2), porque o lugar era sossegado e ideal para ensinar, orar, descansar e dormir. Portanto, à véspera de Sua morte, Jesus retirou-se para aquele lugar de oração com Seu pequeno grupo de seguidores.

As Pessoas

Depois de entrar no lugar chamado Getsêmani, Jesus fez duas coisas. Primeiro, Ele pediu a oito discípulos: "Assentai-vos aqui, enquanto eu vou ali orar" (Mt 26.36). Jesus deixou aqueles homens do lado de fora do jardim para que eles atuassem como sentinelas. Em seguida, Jesus convidou três discípulos – Pedro, Tiago e João – para O acompanhar e orar com Ele.

Os Problemas

Após ter desaparecido na escuridão da noite, Jesus deu início à batalha. O plano do Pai causou-lhe profunda aflição, e a Bíblia nos dá alguns vislumbres de Sua angústia *emocional*. Jesus clamou: "A minha alma está profundamente triste até à morte" (Mt 26.38). Ele "começou a sentir-se tomado de pavor e de angústia" (Mc 14.33) de maneira tão intensa que, enquanto orava, se prostrou em terra. Lucas relata que Ele estava "em agonia" (Lc 22.44). Nosso Senhor ofereceu oração e súplicas, "com forte clamor e lágrimas" (Hb 5.7). Um comentarista escreveu: "Todas as ondas e vagalhões da angústia derramaram-se sobre Sua alma".[4]

A ordem de Deus para que o Filho morresse levou Jesus a sentir não apenas um distúrbio emocional, mas também um terrível estresse *físico*: "E, estando em agonia, orava mais intensamente. E aconteceu que o seu suor se tornou como gotas de sangue caindo sobre a terra" (Lc 22.44).

Jesus, além das lutas emocional e física, estava travando outra grande batalha – a batalha *espiritual*. Sabendo disso, Jesus instruíra Seus companheiros: "Vigiai e orai, para que não entreis em tentação" (Mt 26.41). Nosso Senhor entregou-se à misericórdia de Seu Pai e disse: "Meu Pai, se possível, passe de mim este cálice [de morte]!" (v. 39). No plano físico, Jesus queria ser poupado da morte. Ninguém jamais desejou provar o gosto da morte, nem Jesus. No entanto, no plano espiritual, Ele queria cumprir a vontade do Pai e, portanto, complementou Sua súplica: "Todavia, não seja como eu quero, e sim como tu queres" (v. 39).

O Processo

Com essa submissão à vontade de Deus, vemos Jesus emergir triunfante de Sua luta e agonia no jardim. Como Ele ganhou a batalha? Como foi que Jesus permaneceu firme no amor, na alegria e na paz que o compeliram a morrer, voluntariamente, pelos pecadores e não ceder aos impulsos físicos e emocionais? Qual foi o processo? E o que você e eu podemos aprender para crescer também em amor, alegria e paz?

Conforme vimos antes, *amor é o sacrifício do "eu"*. Por amor, Jesus olhou para Deus, o Pai – para Aquele que ordenou que Jesus, o Filho, morresse pelos pecadores. E em amor, Jesus olhou para o Pai, submeteu-se a Ele para receber Seu amor sustentador e fortalecedor e, em seguida, ofereceu *o sacrifício do "eu"*, determinado a cumprir a vontade do Pai. O amor de Jesus olhou para o Pai – e também para nós – e o Espírito Lhe deu forças para submeter-se à morte na cruz (Hb 9.14). A *carne* queria que o cálice passasse, mas o *amor* olhou para o Pai e disse: "Todavia, não seja como eu quero, e sim como tu queres" (Mt 26.39). Essa decisão O levou a passar por um terrível sofrimento.

A Caminhada de Uma Mulher com Deus

A alegria oferece o sacrifício de louvor. Em alegria, Jesus elevou um louvor a Deus. A Bíblia nos conta que Jesus sentiu grande alegria: "[...] em troca da alegria que lhe estava proposta, [Jesus] suportou a cruz, não fazendo caso da ignomínia" (Hb 12.2).

A paz é obtida com o sacrifício da confiança. Pela paz, Jesus entregou Seus problemas a Deus. "A paz que excede todo entendimento" tomou conta do coração e da mente de Jesus, e Ele se levantou daquele solo sagrado, manchado de lágrimas e encharcado de suor, para caminhar em paz, sabendo que Seu tempo estava nas mãos do Pai e dizendo com total confiança e na mais completa paz: "Levantai-vos, vamos!" (Mt 26.46).

A Conseqüência

E, agora, por favor, observe o seguinte: nada fez mudar as circunstâncias em que Jesus se encontrava! Depois de orar em agonia, Ele *ainda* teve de caminhar até a cruz, *ainda* teve de ser crucificado, *ainda* teve de morrer, mas seguiu até a cruz sustentado pelo amor, pela alegria e pela paz de Deus.

E observe algo mais: essa transformação, essa aceitação e esse momento crítico ocorreram sem que Jesus tivesse estalado o dedo, piscado o olho ou balançado qualquer varinha mágica. Toda essa transformação, essa aceitação e esse momento crítico ocorreram porque Jesus recorreu ao Pai – em agonia e com lágrimas e suor de sangue. Prostrado em terra, na mais completa escuridão da noite, enquanto lutava contra a escuridão espiritual que tomou conta de Sua alma, Jesus olhou para Seu Pai – o Pai de amor, o Pai de alegria e o Pai de paz. Estes poucos versos dessa poesia dizem o seguinte:

> E quando tudo parece não ter solução,
> E não consigo livrar-me da aflição,
> A esperança encontra força em meio à dor e desespero,
> E faz-me esperar tranqüilamente no Senhor.[5]

Não, a suprema submissão de Jesus à vontade de Deus não ocorreu de maneira fácil. Uma oração não foi suficiente (Mt 26.39). Duas orações não foram suficientes (v. 42). Jesus recorreu ao Pai em três momentos distintos (v. 44). E essas três orações não foram elevadas ao céu rapidamente, de forma maquinal e com palavras banais! Foram orações que duraram cerca de três horas (Mt 26.40) — um longo período de agonia, luta, esforço e batalha para que Ele pudesse cumprir plenamente a vontade de Deus.

Quando, finalmente, nosso Salvador se levantou para enfrentar a cruz, Ele fez isso com amor, alegria e paz. Abastecido com essas graças, o Filho foi capaz de dizer: "Levantai-vos, vamos!" (Mc 14.42).

O Desempenho

Ah, querida irmã em Cristo! Você e eu acabamos de ver Jesus submeter-se à vontade de seu Pai – para morrer na cruz! Não podemos deixar de meditar, de nos maravilhar! Foi algo tão admirável que precisamos fazer uma pausa... para louvar... e orar! Ah, querido Jesus, muito obrigada!

Porém, precisamos também olhar para nós mesmas e para nossa caminhada com o Pai. Como é o seu desempenho quando se trata de seguir a direção de Deus em sua vida? Quanto a mim, sei que oro muito pouco. Quando uma situação difícil atravessa meu caminho, rechaço a idéia: "Sem essa!", e continuo de bom humor. Se alguma coisa exige mais do que estou disposta a oferecer, digo: "Ah, muito obrigada, mas não serei capaz de fazer isso". Ou, então, vou em frente, faço o que preciso ser feito – por conta própria e de acordo com minhas emoções ou forças – sem buscar o Pai para que Ele me abasteça. Murmuro, fico irritada, reclamo e aborreço-me. Cumpro meu dever... mas de mau humor.

A Caminhada de Uma Mulher com Deus

Em tempos difíceis, necessito seguir o exemplo de meu Senhor e dirigir-me a meu jardim do Getsêmani, meu lugar de oração. Necessito recorrer ao Pai e lutar contra a carne até receber Seu fruto de amor, alegria e paz. Necessito passar um período de tempo – por mais longo que seja! – na companhia de Deus para que Ele me abasteça até que eu receba tudo Dele, e Ele receba tudo de mim.

Se você e eu, minha amiga, nos entregássemos a Deus dessa maneira por uma semana ou apenas um dia – se nos comprometêssemos a correr para Ele em oração e nos lembrássemos de Suas promessas quando necessitamos de amor, quando necessitamos de alegria e quando necessitamos de paz, e se permanecêssemos em comunhão com Ele pelo tempo que fosse necessário, até conseguir o que necessitamos –, certamente teríamos condições de mudar nosso mundo para Cristo. Se nos comprometêssemos a passar algum tempo no jardim com o Pai e a pagar o preço que Cristo pagou para andar no Espírito, vencendo as tentações da carne e, portanto, sentindo o amor, a alegria e a paz de Deus – bem, os efeitos dessa atitude são desconhecidos, incalculáveis, ilimitados! A oração feita em nosso jardim significa ter Cristo em nós para mudar nosso coração, nosso casamento, nossa família, nosso lar, nossos vizinhos, nosso mundo! E *Ele* pode fazer isso. Mas sem *Ele*, não podemos fazer nada (Jo 15.5). Sem Ele, caminhamos a esmo, mecanicamente, e oferecemos muito pouco ao marido, ao filho ou ao mundo que necessita tanto de nós.

Que minha oração pessoal, para crescer nessas três atitudes de amor, alegria e paz, também seja sua oração, enquanto visitamos o jardim com freqüência e percorremos o caminho da vida...

Examinando as Atitudes de Jesus

É em oração, Pai,
Que nos agarramos a Ti,
Tu que és o Deus Todo-Poderoso,
Permita que possamos receber... para oferecer,
que possamos pedir... para louvar
que possamos lutar... para descansar.
Precisamos passar algum tempo no jardim.
Precisamos ir ao Getsêmani...
diariamente... antes de mais nada...
sempre, se isso for necessário.
Que possamos reter em nossos corações e mentes
a cena de Jesus no jardim.
Grave-a em nossas almas.
Que possamos seguir os passos Dele
e nos recusar a sair dali enquanto não recebermos
Teu amor... Tua alegria... Tua paz.
Oramos em nome de Jesus, que nos ensinou a orar.
Amém.

Parte 2

Ações
do Fruto do Espírito

Capítulo 6

Resistindo com Longanimidade

> [...] o fruto do Espírito é [...] longanimidade.
> Gálatas 5.22

A cada dia que caminho com Deus, faço uma coisa que talvez você também faça: tento elaborar uma programação ideal que me garanta passar algum tempo com Deus todas as manhãs, lendo a Palavra e orando. Nos dias em que tudo está bem, salto da cama assim que o despertador toca, cheia de boas intenções e ótimos planos, e conquisto a Vitória nº 1: Sair da cama!

É muito bom estar em pé e ter controle sobre meu dia (pelo menos até esse momento, logo após o despertar!). Que bênção é entrar na presença de Deus, alegrar-me com a leitura de Sua Palavra e passar longos momentos em oração, e, antes de iniciar as responsabilidades do dia, abrir meu coração em relação às circunstâncias de minha vida diante Dele. Conquisto, portanto, a Vitória nº 2: Passar um tempo tranqüilo com Ele!

A seguir, começo a fazer os trabalhos domésticos: esvazio alegremente a máquina de lavar louças, rego com carinho os

A Caminhada de Uma Mulher com Deus

beijos-de-frade e arrumo a casa com amor. Geralmente, essa felicidade espiritual se estende até o momento em que levo café e suco para Jim na cama, preparo cantarolando o desjejum e o almoço dele e o ajudo a levar suas coisas até o carro. Depois de dar-lhe um abraço apertado e um beijo, despeço-me com um aceno enquanto ele se afasta com o carro. Sim, conquisto a Vitória nº 3: Meu marido saiu para trabalhar sem nenhum problema! Ele está feliz, e eu estou feliz. Digo a mim mesma: "Que ótimo! Tudo está bem! Estou feliz! Que dia maravilho terei pela frente!"

Mas é aí que a vida real – o resto do dia – começa. Lembro-me dos tempos em que era uma jovem mãe, e meus deveres na vida real limitavam-se a cuidar o dia inteiro de duas filhas pequenas. Posteriormente, os deveres da vida real significavam cuidar de adolescentes... que logo se transformaram em duas mulheres adultas que viviam em nossa casa. E toda mãe sabe que criar filhos traz muitas alegrias... e também muitos aborrecimentos.

E, na vida real, o telefone toca (e como toca!), e preciso atender e prestar atenção aos detalhes de cada chamada. A maioria transcorre em clima agradável. Mas, de repente, recebo aquelas ligações problemáticas. Alguém está aborrecido comigo. Ou a pessoa do outro lado da linha diz algo que me magoa. Às vezes, alguém conta-me alguma coisa que *outra pessoa* disse ou passa-me uma informação que exige resposta ou decisão imediatas. Há ocasiões em que fico sabendo que fui afastada de uma posição que ocupava ou fui rejeitada.

O sofrimento chega embrulhado em pacotes de formas variadas – por meio de cartas, visitas ou telefonemas. E quando o "pacote" é aberto, você e eu ficamos confusas, ofendidas, espantadas, aturdidas e magoadas. Sentimos que fomos usadas ou maltratadas, desprezadas ou manipuladas. Ficamos tristes e infelizes. Houve um insulto, uma acusação, um mal-entendido, uma discussão, uma crítica, talvez até um golpe físico ou um processo judicial. E agora, o que devemos fazer?

O Desafio de Enfrentar Outras Pessoas

Assim que saio de meu refúgio de oração, as circunstâncias de minha vida estão em ordem: depositei diante de Deus as situações difíceis de minha vida. Nutri e cultivei as atitudes de uma vida piedosa nesses momentos tranquilos em que assimilei a Palavra de Deus e comunguei com Ele em oração, recebendo amor, alegria e paz por meio de Seu Santo Espírito. Estou pronta para enfrentar mais um dia.

Mas, conforme diz o ditado, onde há pessoas, há problemas! E o que você e eu podemos fazer a respeito dos problemas? Como podemos lidar com as pessoas que nos causam sofrimento? Como obter a Vitória n° 4 e viver de maneira que glorifique a Deus? Como continuar a andar no Espírito e não sucumbir à carne quando somos agredidas?

Saber lidar com as pessoas de maneira gentil, à semelhança de Cristo, é um verdadeiro teste para nós. Mas devemos agradecer a Deus porque Ele nos oferece mais três frutos – longanimidade, benignidade e bondade (Gl 5.22) – para lidarmos com as tensões dos relacionamentos pessoais. Amor, alegria e paz são atitudes piedosas que nos capacitam a lidar com as circunstâncias difíceis da vida. Longanimidade, benignidade e bondade nos ajudam nos relacionamentos com pessoas difíceis. Um comentarista observou essa progressão lógica e escreveu: "Se uma pessoa for firme no amor, na alegria e na paz de Deus, ela será capaz de estender a mão a seu vizinho de maneira mais semelhante à de Cristo".[1] Minha querida, o ato de estender a mão a outras pessoas requer ação – as ações da longanimidade, benignidade e bondade à medida que andamos no Espírito.

Exortação à Longanimidade

É bom entendermos logo no início que, como cristãs, você e eu devemos ter um espírito longânime. A Palavra de Deus nos instrui: *"Revesti-vos* [...] de longanimidade" (Cl 3.12, grifo da autora). Devemos nos *adornar* com um coração longânime. Da mesma forma que, todos os dias, vestimos roupas, devemos também, todas as manhãs, *vestir* nosso espírito com a virtude piedosa da longanimidade. Como é maravilhoso estar revestida da longanimidade de Deus!

Além de revestir o coração de longanimidade, também devemos andar com longanimidade (Ef 4.1,2). Ao descrever a vida cristã, Paulo diz que podemos fortalecer nosso relacionamento com outros crentes e promover a unidade da igreja se conduzirmos nossa vida com longanimidade. Em outras palavras, quando enxergamos falhas em outras pessoas ou somos importunadas por elas, quando nos irritamos ou criticamos e censuramos alguém, devemos mudar de atitude e ter um espírito longânime.

Embora não seja fácil, esse é um primeiro passo prático para conviver em paz com outras pessoas – conforme Kelly certamente está aprendendo todas as vezes que é convocada para fazer parte de um corpo de jurados. Ela conta que...

> ... sinto muita dificuldade em demonstrar paciência quando faço parte de um corpo de jurados. Algumas pessoas são desatenciosas e indelicadas, e é muito fácil haver agressão verbal entre elas. Mas estou aprendendo a lidar com esse problema por meio da oração. Cada vez que acontece algo para testar minha paciência, recorro a Deus e oro pedindo que Ele me dê força para vencer a impaciência e a ansiedade. Não importa onde eu esteja. Oro no exato momento em que estou sendo

posta à prova. Lamentavelmente, isso acontece com bastante freqüência, mas Deus tem sido fiel a mim e me ajudado a controlar a raiva e as frustrações, impedindo-me de perder o controle.

A longanimidade, querida leitora, é definitivamente o segredo para uma convivência harmônica, mas antes de conhecermos esse segredo devemos compreender o significado dessa palavra.

O Significado da Longanimidade

Se você for como eu, talvez considere a longanimidade como a capacidade que temos de aguardar alguma coisa por um longo tempo. Existem, porém, outros elementos envolvidos nesse fruto do Espírito, conforme sugere a seguinte ilustração. Suponhamos que existisse à venda no supermercado a longanimidade em lata. Que ingredientes divinos teriam de ser mencionados no rótulo?

Ingrediente nº 1 – O primeiro e principal ingrediente da longanimidade é *persistência*. Essa firmeza da alma [quando está] sob provocação inclui a idéia de tolerar ou reprimir um comportamento grosseiro e inadequado.[2] A persistência longânime é compassiva[3], tolerante e tardia em irar-se.[4] É possível dizer isso de uma outra forma, que descreve melhor esse termo: renúncia.

Esse ingrediente da persistência longânime é posto em prática principalmente em relação às pessoas e refere-se à atitude que temos em relação aos outros.[5] William Barclay observa que "de modo geral, a palavra [longanimidade] não é usada em relação a coisas ou eventos, mas a pessoas".[6] Um estudioso afirmou sucintamente: "É a qualidade de tolerar outras pessoas, mesmo quando somos violentamente testados... e isso é difícil demais!"[7]

A Caminhada de Uma Mulher com Deus

Ingrediente nº 2 – O próximo ingrediente indicado no rótulo detalha as condições especiais para longanimidade: *quando sofremos ofensas*. Veja bem, necessitamos de longanimidade para suportar as ofensas lançadas contra nós por outras pessoas,[8] ou seja, uma longanimidade caracterizada por renúncia, firmeza de ânimo ou persistência quando somos ofendidos por outra pessoa.[9] A longanimidade piedosa também inclui a idéia de tolerar ou reprimir um comportamento grosseiro e inadequado.[10] Conforme alguém explicou, "Longanimidade é aquele temperamento calmo e imperturbável com o qual a [pessoa] bondosa suporta as maldades da vida... [que] procedem de [outros]."[11] Quando você e eu somos maltratadas por outras pessoas e quando somos provocadas ou mal interpretadas é que necessitamos ser mais longânimes ainda. O Dr. George Sweeting escreveu: "A bondade é, em grande parte, resultante da disposição longânime de suportar as agressões ou zombarias que atravessam nosso caminho. Geralmente, a longanimidade é mais necessária nos momentos em que estamos exaustos. Nosso nível de tolerância, com freqüência, se reduz no momento errado e nosso espírito de bondade desaparece. O verdadeiro amor... é paciente e nunca desiste."[12] A longanimidade brilha ainda mais quando o sofrimento é infligido sobre nós.

Ingrediente nº 3 – Outro ingrediente contido no rótulo para descrever a longanimidade é *misericórdia*. A longanimidade de Deus está sempre ligada à misericórdia[13] e é tolerante com os outros para o bem de cada um deles.[14] A longanimidade deseja o melhor para os outros e está disposta a sofrer com eles... sempre desejando o bem de todos.

William Barclay nos apresenta uma excelente explicação sobre misericórdia quando escreve: "Se Deus fosse homem, teria acabado com este mundo há muito tempo, mas Ele tem a paciência que tolera todos os nossos pecados e, mesmo assim, não nos abandona. [Portanto,] nos relacionamentos com nossos irmãos, devemos retratar essa atitude amorosa, tolerante, magnânima e longânime de Deus."[15] Agimos de modo semelhante a Deus, quando somos longânimes com as pessoas!

E por que Deus demora para castigar o homem? Um dia, quando eu estava revendo alguns textos bíblicos que havia memorizado, encontrei este versículo sobre a Segunda Vinda do Senhor: "Não retarda o Senhor a sua promessa [de voltar novamente], como alguns a julgam demorada; pelo contrário, ele é longânimo para convosco, não querendo que nenhum pereça, senão *que todos cheguem ao arrependimento*" (2 Pe 3.9, grifos da autora). Pedro está sugerindo aqui que o Senhor está retardando Sua volta, desejando que mais almas creiam e sejam salvas. Em outras palavras, Ele está oferecendo à humanidade uma oportunidade mais ampla de aceitar a Cristo! Observe a longanimidade – e a misericórdia – de Deus!

O exemplo da longanimidade de Deus certamente oferece a você e a mim um bom motivo para esperar pacientemente! Além do dever que temos de obedecer às instruções de Deus, nossa motivação para praticar a longanimidade deveria visar ao bem-estar das outras pessoas. Deveríamos ter o mesmo pensamento que Deus tem em relação a nossos semelhantes: "Se eu aguardar um tempo suficiente, talvez algo bom e maravilhoso aconteça com essa pessoa!".

Ingrediente nº 4 – Por fim, lemos estas palavras escritas em letras vermelhas de um lado ao outro no rótulo da lata: *"Não contém raiva nem vingança!"*. A longanimidade do Espírito não contém ira nem pensamento de represália pecaminosa[16] ou retaliação.[17] Longanimidade é a virtude – a renúncia – do homem que *pode* vingar-se mas *prefere* não fazer isso.[18] E,

A Caminhada de Uma Mulher com Deus

como filhas de Deus, não temos motivos para vinganças porque Deus nos prometeu: "Não vos vingueis a vós mesmos [...] mas dai lugar à ira; porque está escrito: A mim me pertence a vingança; eu retribuirei, diz o Senhor" (Rm 12.19). Tertuliano, o pai da igreja primitiva, observou: "Se resistires ao mal por amor a Cristo, Ele será o vingador!".[19]

Portanto, a longanimidade refreia a vingança, a represália e a retaliação, e resiste. Resiste a grosserias, recusa-se a se irar e deseja o que há de melhor para o agressor.

Até mesmo os cristãos muito espirituais lutam com esse elemento da longanimidade. Quando li uma biografia de John Wesley, fiquei surpresa ao saber que a Sra. John Wesley foi considerada uma das piores esposas da História.[20] O temperamento ignóbil dessa mulher dificultou a vida de John Wesley e a de seu irmão Charles, que teve muitos problemas com a cunhada. Este disse: "Preciso orar para não mergulhar no espírito de vingança!".[21]

À luz desses ingredientes, a definição de longanimidade que uso para mim mesmo é esta: *A longanimidade não faz nada.* A longanimidade é o primeiro dos três frutos que se relacionam às pessoas – longanimidade, benignidade e bondade – e é a parte passiva do amor:[22] é o amor que não faz nada.

Conforme já disse, a longanimidade é a parte passiva desses três frutos. Nos próximos dois capítulos, passaremos para a "escala da ação". Mas por ora, se você quiser andar em longanimidade quando estiver se sentindo magoada, mal interpretada ou maltratada, não faça nada! Em vez de reagir com palavras ou atos ofensivos e pecaminosos, resista interiormente com longanimidade. A reação de *não fazer nada* proporciona a você e a mim um pouco de tempo (até mesmo um minuto!) para *fazer alguma coisa* – orar, meditar e reagir da maneira correta. Portanto, minha querida amiga, devemos recorrer a Deus em busca de longanimidade... e, depois, não fazer nada que nos leve a perder uma dessas preciosas virtudes. Ah, só uma dica: para conseguir isso, geralmente é necessário dobrar os joelhos em oração!

Lutando para Ser Longânime

Pense por um instante na luta que temos de travar para ser longânimes. O que é mais fácil – ceder às emoções e enfurecer-se quando alguém nos magoa ou ser longânime e refrear a ira? Revidar com palavras ofensivas ou refrear palavras de ódio? Sou muito propensa a perder as estribeiras e dizer a quem me ofendeu exatamente como me sinto e o que penso! O mais difícil para mim é ter a reação piedosa – a reação de Deus! – de não exteriorizar meus sentimentos, mas resistir com longanimidade. Pode acreditar, necessito receber toda a força e ajuda de Deus para que eu não faça nada! Necessito desesperadamente do Espírito de Deus para que Ele me abasteça com longanimidade. Assim que somos abastecidas por Ele e decidimos não fazer nada, estamos pondo em prática a persistência longânime... quando somos ofendidas... sem revidar... e sempre desejando o bem a quem nos ofendeu!

Evidentemente, nossa conduta em relação às outras pessoas muda drasticamente quando passamos a conhecer os ingredientes da verdadeira longanimidade espiritual. Esse conhecimento também nos ajuda a tratar os outros da mesma forma que Jesus os tratou, inclusive seus inimigos. Mas para seguir os passos de Jesus, precisamos aprender muito acerca de Deus, porque "só mediante a força proporcionada por Deus e mediante completa confiança na força de Sua soberania e graça transformadora é que seremos capazes de estar atentos a Suas diretrizes".[23] Como é maravilhoso ser cristã e estar revestida da longanimidade de Deus!

A Caminhada de Uma Mulher com Deus

Examinando as Instruções de Deus sobre a Longanimidade

A Bíblia contém um mar de instruções sobre a longanimidade, e eu gostaria que mergulhássemos nessas águas para descobrir as várias verdades acerca desse fruto do Espírito, com a ajuda de alguns exemplos.

Deus é longânime. Quando lemos 1Pedro 3.20, temos a oportunidade de nos maravilhar diante da longanimidade de Deus: "os quais, noutro tempo, foram desobedientes quando a longanimidade de Deus aguardava nos dias de Noé, enquanto se preparava a arca, na qual poucos, a saber, oito pessoas, foram salvos, através da água". Você sabe quanto tempo Deus aguardou? Cento e vinte anos! Deus, ao desejar que muitas pessoas fossem salvas, aguardou cento e vinte anos para mandar a chuva e o dilúvio (Gn 6.3), a fim de tornar a salvação acessível a outras almas. Como é triste sabermos que somente oito pessoas entraram na arca depois de Deus ter aguardado tanto tempo!

E quanto a nós, minha amiga? Quanto tempo você e eu podemos aguardar? Pense nas pessoas que fazem parte de sua vida, as que você ama – talvez um marido que ainda não se converteu ou um filho que está demorando demais para se render a Deus ou, ainda, um irmão ou irmã cuja falta de fé a entristece. Deus nos exorta a ter um espírito de longanimidade – a longanimidade de Deus! A longanimidade que aguarda pacientemente e não desiste nem despreza uma pessoa querida. A longanimidade que estende uma dose de amor renovada todos os dias – até mesmo por cento e vinte anos! Certamente, esse exemplo da longanimidade de Deus me faz pensar que eu poderia aguardar um pouco mais! E você?

Jesus foi longânime. Jesus, o Mestre Supremo, também nos instrui acerca da longanimidade em nossos relacionamentos com pessoas problemáticas, até mesmo com aquelas que Ele qualifica de "inimigos". Jesus nos exorta a amar nossos inimigos (Lc 6.27) e explica como fazer isso: "Orai pelos que vos caluniam" (v. 28). Que retrato perfeito da longanimidade *em ação*!

Qual é sua tendência natural quando *você* é insultada ou maltratada? A minha é reagir e tratar o agressor da mesma maneira que fui tratada! Mas essa minha conduta é tão errada quanto a de meu agressor. Trata-se de pecado sobre pecado, gerando dois erros. Você e eu, como cristãs, não devemos pagar "mal por mal ou injúria por injúria" (1Pe 3.9); antes, pelo contrário, devemos bendizer nossos ofensores. Reação e retaliação são, definitivamente, ações erradas. Jesus deseja que tenhamos reações de longanimidade. Não devemos ter reações carnais; ao contrário, devemos abençoar e orar. Não foi exatamente isso que Jesus fez quando orou por seus assassinos, enquanto morria na cruz em que eles próprios o pregaram? Ele disse: "Pai, perdoa-lhes, porque não sabem o que fazem" (Lc 23.34). Nossa reação piedosa, querida irmã, é orar – orar de joelhos, ser abastecida com a longanimidade de Deus... e, depois, não fazer nada.

Essa cena do sofrimento de nosso Salvador é sagrada demais! Nossa reação deve vir das profundezas da alma! Se, realmente, desejamos ser semelhantes a Jesus, temos de perguntar a nós mesmas se estamos dispostas a fazer o que for necessário para amar nossos inimigos. Será que amamos Jesus o suficiente para deixar de lado a raiva e o orgulho e aguardar, com humildade e paciência, que Deus aja? Será que amamos suficientemente aqueles por quem Jesus morreu? Será que somos capazes de sofrer pacientemente com eles como Jesus fez conosco? Será que amamos nossos inimigos, aqueles que nos odeiam, nos amaldiçoam e nos usam? Foi por amor a essas pessoas que Cristo morreu na cruz. Portanto, se desejamos amar da mesma forma que Jesus ama, precisamos estar dispostas a seguir seus passos (1Pe 2.21) para resistir a nossos impulsos carnais e ser pacientes. Ore neste momento para que o Espírito de Deus a abasteça com esse doce fruto.

Paulo foi longânime. Referindo-se a si mesmo, o apóstolo Paulo falou a respeito de nosso comportamento em relação às pessoas que não são cristãs. Ele nos diz: "Ora, é necessário que o servo do Senhor não viva a contender, e sim deve ser brando para com todos, apto para instruir, paciente" (2 Tm 2.24). E por que devemos ser pacientes neste caso? Os versículos 25 e 26 respondem a esta pergunta: "disciplinando com mansidão os que se opõem, na expectativa de que Deus lhes conceda não só o arrependimento para conhecerem plenamente a verdade, mas também o retorno à sensatez, livrando-se eles dos laços do diabo". Portanto, quando nos depararmos com pessoas incrédulas, devemos pôr em prática a longanimidade porque esperamos que elas sejam salvas.

Agradeço a Deus pelo que minha amiga Jan fez comigo! Nos cursos primário e secundário, Jan foi uma companheira constante e uma de minhas melhores amigas. Na verdade, éramos tão amigas que na época da faculdade dividimos o mesmo quarto até o dia em que Jan se mudou para uma república de moças, e eu para outra. De repente, algo maravilhoso aconteceu com Jan. Ela se converteu e queria contar os detalhes para mim, sua melhor amiga!

Uma noite, após o jantar, Jan foi visitar-me para contar a novidade e convidou-me para acompanhá-la a um estudo bíblico. Eu gostaria de dizer a você que fui meiga e me comportei como uma dama. Até melhor do que isso, gostaria de dizer que a acompanhei e aceitei a Cristo. Mas não aconteceu nada disso. Fiquei tão espantada que minha única reação foi a de rir e zombar dela. Basicamente, disse a Jan: "Prove tudo o que você falou!". Eu queria ver mudanças significativas na vida dela antes de acreditar no que estava ouvindo.

Com o passar do tempo, Jan tornou-se uma crente fiel e começou a crescer espiritualmente. Continuou também a ser minha amiga fiel. Continuou a tentar me convencer, sem nunca desistir. Eu, contudo, desisti dela. Dez anos se passaram, dez anos de uma amizade perdida, porque minha falta de compreensão cavou um fosso entre nós. Jan e eu não conversamos por uma década até que um dia, em um Estado, do outro lado do país, converti-me de maneira dramática e repentina! E sabe o que fiz? Liguei imediatamente para Jan. Eu queria contar-lhe minha experiência... e queria pedir-lhe perdão por tê-la tratado tão mal. Hoje, tenho a satisfação de dizer que trocamos correspondência e compartilhamos assuntos referentes ao Senhor. Jan exemplificou para mim o que significa longanimidade para com o incrédulo. Ela desejou o melhor para mim e continuou a ser uma amiga fiel – mesmo quando foi maltratada!

Sara não foi longânime. Às vezes, aprendemos tanto com os exemplos negativos quanto com os positivos! E a princesa Sara, do Antigo Testamento, dá-nos um exemplo de falta de longanimidade. Sara e o marido, Abraão, seguiram a Deus e tiveram o privilégio especial de ouvir muitas promessas de Deus, proferidas por Ele próprio. Uma dessas promessas foi um herdeiro para aquele casal sem filhos... no entanto, Sara não teve filho antes de completar noventa anos de idade, e Abraão, noventa e nove. E Sara não soube lidar nada bem com essa espera!

Sara, pelo fato de ser estéril e sofrer muito com isso, tornou-se "a mulher que cometeu um grande erro"[24]. Sua

A Caminhada de Uma Mulher com Deus

impaciência levou-a a fazer a seguinte proposta a Abraão: "Toma, pois, a minha serva [Agar], e assim me edificarei com filhos por meio dela" (Gn 16.2). Embora, naquela época, fosse costume permitir que um homem casado com mulher estéril tomasse uma concubina para ter um herdeiro[25], esse erro produziu não apenas uma tragédia histórica, mas um ciúme violento e muitas discussões entre Sara e Agar.

E a gravidez fez brotar os piores sentimentos em Agar! Quando soube que estava grávida, ela desprezou Sara (16.4). Agar tornou-se insolente e rebelde, agindo com orgulho e desdém em relação a Sara. Foi assim que Agar se tornou um problema constante na vida da estéril Sara!

Como Sara lidou com esse problema comum, esse dilema do dia-a-dia? Certamente não lidou como esperávamos! Em uma cena infame — marcada pelo orgulho e desprezo de Agar em relação à patroa, e a inveja de Sara pela gravidez de sua escrava —, Sara tratou Agar de maneira tão rude que ela fugiu da presença da patroa (16.6). Sara perdeu a paciência e perseguiu sua serva. Embora Sara tivesse demonstrado grande fé posteriormente (Hb 11.11), ela agrediu Agar – talvez tanto física como verbalmente. Nesse ponto, ela é um exemplo de mulher que carecia de longanimidade. Agiu movida por ódio, porfia, ciúme, ira, discórdia, dissensão, facção e inveja – muitas obras da carne relacionadas por Paulo em Gálatas 5.19-21. Não, *não* se trata de uma cena bonita!

Quando penso em Sara, uma mulher exaltada por sua fé, pergunto a mim mesma: "A fé não está alicerçada na longanimidade?". E a resposta é sim o que nos remete a amor, alegria e paz. Estes três frutos do espírito nascem de nosso relacionamento com Deus e do entendimento de que Ele é o Autor e Criador da vida e de tudo o que existe nela até mesmo a esterilidade, até mesmo alguém como Agar. Portanto, minha amiga, sempre que perdermos a paciência, devemos novamente fitar o rosto de Deus, reconhecer Sua presença, Sua sabedoria, Seus caminhos e Seus planos para nossa vida. Respire fundo e solte o ar lentamente... e não faça nada, porque devemos resistir com longanimidade. Essa é a fé que faz a longanimidade aumentar... e que fortalece a nós, mulheres que caminham com Deus.

Ana foi longânime. Da mesma forma que Sara, Ana estava cansada de ser perseguida e provocada diariamente. Conforme já vimos no capítulo 4, a rival de Ana era Penina, a outra esposa de seu marido que a provocava excessivamente ano após ano (1 Sm 1.6,7). Contudo, Ana foi longânime. E podemos estar certas de que seus pensamentos, sentimentos e impulsos foram iguais aos de Sara! Ana, porém, lidava com essas emoções de maneira piedosa: ela ia ao templo do Senhor e orava a Ele, contando-lhe sobre sua perseguição e seu sofrimento (vv. 10-16).

Sim, Ana nos oferece um exemplo piedoso de como resistir a agressões. Não devemos revidar nem perder o controle. Ao contrário, devemos recorrer a Deus, nos refugiar nele e nos adornar com seu manto de paciência! Somente Deus pode nos ajudar a não fazer nada e resistir com longanimidade. É uma luta, mas você e eu devemos reprimir nossos impulsos naturais e humanos e extrair da fonte inesgotável de Deus toda a longanimidade de que necessitamos. O Espírito Santo exibirá a glória de sua longanimidade, dando-nos força para não fazer nada.

Aguardando a Chegada do Juiz

Certa noite, enquanto estava dando uma aula a respeito desse fruto do Espírito, ensinei à classe como crescer na longanimidade de Deus. Em suma, disse a minhas alunas para se lembrarem de *aguardar a chegada do juiz*. Explicarei melhor.

A Caminhada de Uma Mulher com Deus

Em uma passagem escrita para encorajar um grupo de cristãos pobres e oprimidos, o apóstolo Tiago faz este apelo: "Sede, pois, irmãos, pacientes, até à vinda do Senhor" (Tg 5.7). Ele pede àqueles cristãos: "Sede vós também pacientes [...] pois a vinda do Senhor está próxima" (v. 8). Em seguida, diz: "Eis que o juiz está às portas" (v. 9). Tiago fala três vezes da vinda do Senhor, mencionando que ela está próxima, às portas. Mas como essas palavras incentivaram aqueles crentes – e como incentivam a nós?

Acima de tudo, a promessa da volta de nosso Senhor traz grande esperança a nossos corações sofridos, porque quando Ele chegar, tudo mudará (Ap 21.3,4)! A opressão chegará ao fim. Nosso sofrimento nas mãos de outras pessoas terminará. Desfrutaremos também a contínua presença de Jesus. E mais: o Senhor retribuirá a cada um segundo suas obras (Ap 22.12). Ele também vingará nossos inimigos, julgando apropriadamente e corrigindo as injúrias. Na verdade, *tudo* será modificado quando Cristo, o Juiz, trouxer justiça e vingar os justos!

Essa imagem de um juiz faz-me aceitar e praticar, com mais paciência, a exortação de Tiago. É o retrato de um juiz viajante do Antigo Testamento, como Samuel, por exemplo, que percorria um circuito todos os anos, julgando as questões do povo (1Sm 7.16).[26] O único problema era que o povo tinha de *aguardar* a chegada de Samuel à cidade para resolver os problemas deles. E, nesse meio tempo, que poderia durar até um ano, eles tinham de conviver com desavenças e injustiças. Tinham de aguardar pacientemente, sem fazer nada... até que o juiz chegasse e resolvesse tudo.

É uma ordem difícil de ser cumprida, mas da mesma forma que aquele povo do Antigo Testamento, você e eu devemos conviver com desavenças e injustiças até que nosso Senhor, o Juiz, venha para resolver tudo. Devemos continuar a conviver com nossos adversários e suportar grosserias de pessoas problemáticas, ser longânimes o tempo todo e pôr em prática o autocontrole. Não devemos nos queixar uns dos outros nem derivar para sentimentos de autopiedade (ver Tg 5.7-9). E não devemos julgar, contender, criticar, fazer mexericos ou procurar falhas nos outros. Não, devemos ser responsáveis por uma única coisa enquanto aguardamos o Juiz: uma conduta semelhante à de Cristo. O Juiz é responsável por todas as outras coisas! E então, minha querida, com essa imagem em mente, faça a si mesma esta pergunta: "Sou capaz de aguardar?". Tiago diz que você é. Portanto, lembre-se de uma pessoa que lhe causou um profundo sofrimento – um sofrimento muito longo ou que tem relação com o que está acontecendo com você até hoje. Diante do Senhor – o Juiz – lembre-se de uma pessoa que é hostil, mesquinha ou ingrata, que a despreze, insulte, calunie ou impeça seu progresso. Em seguida – por meio da oração e pela graça e ajuda de Deus – resista a todo e qualquer impulso de retaliar ou punir essa pessoa. Não faça nada. Tenha um espírito longânime e não faça nada enquanto aguarda a chegada do Juiz.

Coisas Que Podemos Fazer Hoje para Caminhar com Longanimidade

A Palavra de Deus é fiel e vem em nosso auxílio quando buscamos caminhar com Ele em longanimidade. O que a Bíblia sugere que você e eu devemos fazer?

- Exercite-se para ser longânime. Provérbios 19.11 oferece esta lição de sabedoria: "A discrição do homem [ou da mulher] o torna longânimo, e sua glória é perdoar as injúrias." Em outras palavras, aprenda a refrear a raiva.

A Caminhada de Uma Mulher com Deus

☙ Seja mais paciente. Quanto tempo você agüenta esperar? Bem, prolongue esse período. Quantas vezes você agüenta esperar? Na próxima vez, proponha-se a esperar quantas vezes forem necessárias. É aí que a oração entra em ação. Nosso Deus paciente está disposto a dar-lhe paciência sempre que você pedir.

☙ Elimine as oportunidades para pecar. Paulo diz: "Nada disponhais para a carne" (Rm 13.14). E Provérbios nos instrui: "Honroso é para o homem o desviar-se de contendas, mas todo insensato se mete em rixas" (Pv 20.3).

☙ Siga o exemplo de Jesus. Ninguém sofreu mais agressões do que Jesus! Mesmo assim, ele permaneceu absolutamente imaculado mesmo quando sofreu as mais terríveis formas de violência: "O qual não cometeu pecado, nem dolo algum se achou em sua boca, pois ele, quando ultrajado, não revidava com ultraje, quando maltratado não fazia ameaças" (1 Pe 2.22,23). Grave no coração a reação de Jesus ao sofrimento... e tente elevar suas reações a um patamar mais alto de santidade.

☙ Ore. Este foi o método seguro que Jesus usou para suportar o sofrimento: Ele "entregava-se àquele que julga retamente" (1 Pe 2.23). Portanto, preciosa amiga, quando você for insultada por alguém, eleve sua alma sofrida em direção ao céu. Não faça nada. Permita apenas que Deus alivie sua dor. Permita que Ele lhe dê Sua longanimidade enquanto você suporta o sofrimento, sem vingança e sempre desejando o bem de quem a insultou. Afinal, foi pelas chagas de Jesus que você e eu fomos curadas (v. 24). Foi para o nosso bem que Ele sofreu. E somos instruídas a fazer o mesmo – ser longânimes com outras pessoas para o bem de cada uma delas. Não existe privilégio maior para nós que somos mulheres cristãs.

Capítulo 7

Planejando a Benignidade

> [...] o fruto do Espírito é [...] benignidade.
> Gálatas 5.22

Quando tocamos a campainha, nenhuma de nós imaginou o que nos aguardava do outro lado da porta! Judy, minha amiga, e eu havíamos percorrido de carro as colinas ao redor de San Fernando Valley, uma viagem que durou quarenta e cinco minutos, para chegar à casa de outra amiga que estava oferecendo um chá de cozinha a uma noiva. Mas a porta foi aberta por outra pessoa... que nos contou que o pai da anfitriã falecera trinta minutos antes e que ela acabara de sair para o hospital.

Atordoadas, nós três nos abraçamos para orar por nossa amiga e por tudo o que ela estava enfrentando naquele momento. Mas assim que a oração terminou, sabíamos que era hora de entrar em ação na cozinha! Tão logo as convidadas começaram a chegar, Judy e eu nos oferecemos para ajudar. No momento de servir os alimentos que foram preparados para a ocasião, continuei a trabalhar na cozinha, enquanto Judy servia as convidadas, dando-lhes tapinhas nas costas,

A Caminhada de Uma Mulher com Deus

perguntando se necessitavam de alguma coisa e verificando se todas estavam confortáveis. Judy conversou gentilmente com cada uma das mulheres ali presentes, enquanto carregava o pesado bule de chá de prata ao redor da sala, reabastecendo xícaras e retirando pratos sujos e guardanapos usados. Até mesmo da cozinha, fui capaz de ouvir uma convidada dizer algo sarcasticamente, referindo-se a Judy:

– Ela é muito boazinha.

Minha querida, desde aquela manhã, tenho pensado muito nessas palavras: "Ela é muito boazinha". O que Judy fez por todas nós – inclusive pela mulher ingrata – foi pôr em prática a benignidade, o próximo fruto do Espírito. Judy exemplificou a graça e o ministério da benignidade não apenas para aquelas mulheres, mas também para mim. Conforme você verá em breve, o mais alto elogio que uma mulher cristã pode receber é ser descrita como "muito boazinha". Quando alguém diz isto de você ou de mim, podemos ter certeza de que estamos exibindo o fruto do Espírito!

Exortação à Benignidade

Mas... voltemos à nossa caminhada com Deus! Nesta parte do livro estamos aprendendo a *agir* com longanimidade, benignidade e bondade em relação às pessoas com as quais nos deparamos ao longo da vida. A convivência diária com algumas pessoas pode nos causar sofrimento, mas devemos ser pacientes e tomar muito cuidado para não cometer nenhum ato pecaminoso ou prejudicial contra elas, quando somos provocadas. Essa atitude piedosa é demonstrada quando pedimos a Deus que nos abasteça com Sua longanimidade. Somente Ele pode nos ajudar a não fazer nada! Mas, depois de pedir longanimidade, é chegada a hora de dar um passo à frente, entrar em ação, sair do lugar e fazer alguma coisa. E essa "alguma coisa" chama-se benignidade, o próximo fruto

Planejando a Benignidade

da lista do Senhor; "o fruto do Espírito é [...] benignidade" (Gl 5.22).

Assim como o nosso Senhor é benigno, nós, as mulheres que O amamos, também devemos ser benignas. E, embora o fruto da benignidade seja uma característica em nossa vida quando caminhamos pelo Espírito, essa caminhada inclui pôr em prática vários mandamentos mencionados na Palavra de Deus. Um desses mandamentos acompanha de perto a advertência mencionada em uma passagem da Bíblia, (Ef 4.25-32) que o estudioso William Barclay intitula "Coisas Que Devem Ser Banidas da Vida".[1] Nesses versículos, o apóstolo Paulo adverte os cristãos contra uma conduta que entristece o Espírito Santo e magoa o coração de Deus.[2] Essa conduta inclui várias atitudes mesquinhas (amargura, cólera, ira, gritaria e blasfêmias), atitudes estas que Deus nos exorta a banir de nossa vida. Devemos ser benignos uns para com os outros (v. 32). A Bíblia Viva diz isso de maneira clara e sincera: "Deixem de ser mesquinhos [...] Em vez disso, sejam bondosos uns para com os outros" (v. 31,32). Fica claro que a benignidade é uma ação que agrada a Deus!

Há outra exortação à benignidade em Colossenses 3.12. Nesse versículo, Deus diz que devemos nos revestir de benignidade. A benignidade é uma das virtudes básicas cristãs que ajudam a governar os relacionamentos humanos. Portanto, você e eu devemos nos revestir de benignidade em todos os nossos relacionamentos. Que maravilha poder dizer que a benignidade é uma característica de nossa vida e de nossas ações!

Deus apresenta mais uma exortação à benignidade em 2 Timóteo 2.24. Nesse versículo, o apóstolo Paulo nos ensina como agir com pessoas que não são cristãs, ao dizer que devemos ser brandos e benignos para com todos. O fato é que a benignidade tem sido um elemento importante na vida dos cristãos desde os primeiros séculos. Conforme um missionário relata, os cristãos têm sido conhecidos ao longo dos séculos por seu amor e preocupação para com os outros, e algumas evidências mais marcantes dessas virtudes não foram proferidas por cristãos, mas pelos críticos do Cristianismo, os quais que estavam preocupados com o avanço dessa fé e dessa forma viver, em razão do amor que os cristãos dedicavam às pessoas desconhecidas.[3]

E agora, querida amiga cristã, devemos fazer uma pausa para refletir sobre as instruções que recebemos de Deus quanto à benignidade. Você se considera uma pessoa benigna? Está tentando parar de ser mesquinha e revestir-se de compaixão e benignidade para com os outros? Está querendo agradar a Deus com atos de benignidade, em vez de entristecer o Espírito Santo com atos de indelicadeza? Todas as manhãs, quando se prepara espiritualmente, você decide revestir-se do manto da benignidade? Para nós, que andamos com Deus, significa trilhar o caminho da benignidade.

Definindo a Benignidade

Depois de reconhecermos que a benignidade é uma ordem de Deus, nossa próxima preocupação deve ser a de compreendê-la melhor. É importante saber que a benignidade tem sido definida como ternura[4] e interesse pelas outras pessoas.[5] É a virtude da pessoa que se preocupa com o bem-estar do próximo da mesma forma e com a mesma intensidade com que se preocupa com o seu próprio bem-estar.[6] Benignidade é também ter a disposição de ser branda,[7] assim como é um assunto do coração. Evidentemente, a graça da benignidade de Deus deve tomar conta da pessoa inteira, suavizando todas as asperezas.[8]

Minha definição de benignidade – que me ajuda muito a cultivar e a praticar esse espírito de preocupação com os outros

Planejando a Benignidade

– é esta: *a benignidade planeja fazer alguma coisa.* Enquanto longanimidade significa não cometer atos pecaminosos, mas resistir com paciência (ver capítulo 6), a benignidade planeja agir. A benignidade, da mesma forma que os outros frutos do Espírito, deseja agir piedosamente e, por conseguinte, planeja essas ações. Antes de tudo, fomos abastecidas com a longanimidade de Deus: ajoelhamo-nos humildemente em oração para não cometer nenhum ato precipitado ou reagir negativamente. Depois de agirmos com amor e de estarmos abastecidas com a benignidade e a longanimidade de Deus, devemos sair do lugar e procurar oportunidades para fazer alguma coisa. Você se lembra que a longanimidade é a parte passiva do amor (não fazer nada quando somos provocadas)? Bem, agora vemos a benignidade trabalhando ativamente, preparando-se para a ação da bondade (que analisaremos no próximo capítulo). A benignidade procura, é curiosa e pergunta: "Quem necessita de amor? Como posso aliviar a carga de alguém? Como posso tocar o coração de outra pessoa?".

Aprendendo Com os Opostos

Podemos aprender um pouco mais sobre a benignidade quando analisamos seus opostos, como, por exemplo, uma discussão acalorada. Determinados comportamentos sinalizam que não estamos andando no Espírito nem pondo em prática a benignidade de Deus, e um desses sinais de alerta é o bate-boca. Em 2 Timóteo 2.24, Paulo diz que o servo do Senhor não deve contender, mas ser brando para com todos. Portanto, quando você e eu estivermos contendendo ou brigando, discutindo ou trocando farpas, podemos ter a certeza de que esse comportamento "não é a sabedoria que desce lá do alto" (Tg 3.15); ao contrário, trata-se de um comportamento estritamente carnal. Gálatas 5.20 também relaciona iras, discórdias e dissensões como obras da carne.

A Caminhada de Uma Mulher com Deus

Imagine um lar... um escritório... ou uma igreja sem contendas! E imagine direcionar para a benignidade a mesma energia consumida pela contenda, pela ira e pela discussão. O que você e eu precisamos fazer para que isto aconteça? Aqui está uma pequena lista.

- Amar os outros mais do que a nós mesmas.
- Preocupar-se com o conforto e o bem-estar dos outros mais do que com o nosso.
- Considerar os outros mais importantes do que nós (Fp 2.3).
- Não discutir.

Mateus 11.28-30 ajuda-nos a compreender melhor a benignidade por meio de outros dois opostos. Proferindo palavras de conforto a Seus seguidores, Jesus faz um convite amável: "Vinde a mim todos os que estais cansados e sobrecarregados, e eu vos aliviarei. Tomai sobre vós o meu jugo, e aprendei de mim, porque sou manso e humilde de coração; e achareis descanso para a vossa alma. Porque o meu jugo é suave [isto é, benigno], e o meu fardo é leve." É importante compreendermos que o jugo era uma peça de madeira colocada sobre os ombros de uma pessoa para ajudá-la a carregar o fardo. No entanto, se o fardo fosse mal distribuído ou pesado demais, o jugo começaria a produzir atrito e a cansar a pessoa. Aqui, Jesus está estabelecendo um contraste entre Seu jugo e o fardo que Ele pede que Seus seguidores carreguem com o jugo de tentar manter todas as regras impostas aos judeus pelos mestres de Israel, e Ele diz que Seu jugo é "suave", ou seja, "benigno". Na verdade, um estudioso traduziu o versículo desta forma: "Meu jugo é benigno".[9]

Tenho de admitir que a nitidez dessa imagem mental me levou a fazer perguntas sérias sobre meu relacionamento com

Planejando a Benignidade

outras pessoas – e talvez você também queira fazer o mesmo. Por exemplo, como é a vida de alguém que vive sob o mesmo jugo que eu em casa, em uma reunião, em um projeto ou em um ministério? Sou uma peça valiosa para quem vive a meu redor, uma pessoa que não causa atritos? É fácil conviver comigo? Sou uma pessoa benigna, uma pessoa que ajuda a carregar o fardo dos outros? Ou sou um fardo a mais que os outros precisam carregar, forçando-os a viver sob jugo, sofrer atritos, dificultando a vida deles, ou seja, fazendo com que o fardo deles fique mais penoso, porque estão sob o mesmo jugo de uma mulher ríspida, briguenta e maçante? Será que meu comportamento e falta de benignidade irritam, causam atritos e desgastam as outras pessoas? Benignidade significa tornar a vida dos outros mais fácil – não mais difícil – da mesma forma que Jesus torna mais fácil a sua vida e a minha.

Cultivando a Benignidade

O livro a que recorro todas as manhãs em meus momentos de oração contém um lembrete solene que tem me ajudado a desenvolver a benignidade (e espero que a ajude também, minha irmã). Todas as semanas, leio um lembrete que me instrui a orar para ter "um amor maior e mais compaixão pelos outros". Bem, sou forçada a dizer que todas as vezes que leio essas palavras, sinto-me envergonhada demais ao examinar meu coração e minha alma. Essa exortação à oração sempre me faz pensar que necessito de uma grande dose dessa virtude piedosa em minha vida! E a oração e os aspectos que acompanham a benignidade têm me ajudado a cultivar o fruto da benignidade. Os pensamentos abaixo me deram uma idéia do que a benignidade pode fazer – por você e por mim.

1. *Preocupar-se com os outros faz parte da benignidade.* É verdade que quando nos preocupamos sinceramente com

A Caminhada de Uma Mulher com Deus

alguém, descobrimos que estamos prestando atenção às circunstâncias da vida dessa pessoa e nos preocupando com seu bem-estar. Acabamos por nos envolver com a vida dela. À medida que nosso amor por outra pessoa aumenta, os detalhes da vida dela tornam-se cada vez mais importantes para nós. Começamos a nos preocupar quando a vemos triste ou desanimada, lutando ou sofrendo, passando necessidades ou abandonada. Quanto a mim, confesso que não me preocupo tão facilmente assim, quando se trata de uma pessoa que me causa problemas!

Descobri que a oração é um meio eficaz para sentir carinho pelas pessoas que me fazem sofrer. É verdade que se você e eu quisermos seguir a instrução de Jesus de orar por aqueles que nos caluniam (Lc 6.28), mudanças surpreendentes ocorrerão em nossos corações. A oração faz com que acabemos por nos envolver de corpo e alma e espiritualmente na vida das pessoas pelas quais oramos. Por meio da oração, Deus também muda *nosso* coração e a *nossa* mente, suavizando as asperezas e transformando nosso egoísmo em preocupação com os outros – inclusive com nossos inimigos!

Outra atitude que faz uma grande diferença em nossos relacionamentos é a decisão que tomamos de nos preocupar com os outros – conforme uma professora de faculdade ficou sabendo quando passou uma tarefa inusitada para seus alunos.

– Selecionem a pessoa dentro do *campus* de quem vocês menos gostam – pediu ela. – No próximo mês, procurem fazer diariamente um ato de benignidade por aquela pessoa.

Posteriormente, um aluno relatou:

– No final do mês, meu sentimento negativo em relação àquela pessoa [a mulher selecionada] foi substituído por uma crescente compaixão e compreensão... [Esta tarefa] ajudou-me a fazer uma auto-análise – minha hostilidade, minha falta

Planejando a Benignidade

de compaixão, meu julgamento precipitado sem tentar compreender as causas do comportamento que eu desaprovava.[10]

Não nos causa surpresa ver que a preocupação com os outros verdadeiramente elimina a hostilidade, a falta de compaixão e a tendência de agirmos como julgadoras. Portanto... peça a Deus que a ajude (conforme sugere meu guia de oração) a ter mais amor e compaixão pelos outros.

2. *Pensar faz parte da benignidade.* Outro sinal positivo de que estamos nos preocupando cada vez mais com nossos semelhantes é quando começamos a pensar nos outros e nas condições em que vivem. Passamos a olhar para as pessoas e pensamos: "O que poderia ajudá-la? O que poderia ajudá-lo? De que ele necessita? De que ela necessita?". Percebemos que também passamos a fazer perguntas a Deus: "Como posso ajudar essa pessoa? Como posso facilitar a vida dele ou dela? Como posso ser útil, aliviar seu fardo?". Enquanto estamos aprendendo, a benignidade planeja fazer alguma coisa, e isso exige uma boa dose de reflexão e oração diante do Senhor – conforme Davi nos exemplificou. Quando foi ungido rei de Israel, Davi perguntou: "Resta ainda, porventura, alguém da casa de Saul [o rei que o antecedeu], para que use eu de bondade para com ele?" (2Sm 9.1). Veja bem, Davi estava *pensando* em demonstrar benignidade aos herdeiros de seu antecessor. Você se lembra de alguém a quem possa demonstrar benignidade?

Não há dúvida de que o melhor ambiente de treinamento para pensar no bem-estar dos outros é o nosso lar. Ann, minha amiga, pensou em dezenas de maneiras de demonstrar benignidade à sua família. Uma delas é um lindo prato vermelho no qual está escrito em letras douradas: "Você é muito especial!". Parte de sua alegria como esposa e mãe é demonstrar benignidade a uma pessoa da família que se sente

A Caminhada de Uma Mulher com Deus

desanimada – por exemplo, ao arrumar a mesa de refeições, colocar o prato vermelho especial diante daquela pessoa!

Portanto, preciosa irmã, peça a Deus que lhe dê um coração zeloso e mente criativa quando você começar a olhar ao redor para descobrir as necessidades de seus familiares, dos vizinhos, no local de trabalho e na igreja. Por toda parte, há pessoas feridas! Uma estatística surpreendente relata: "Noventa por cento de todas as enfermidades mentais... poderiam ter sido evitadas, ou curadas, mediante atos simples de benignidade".[11] O que você poderia fazer hoje para demonstrar benignidade a outra pessoa?

3. *Observar faz parte da benignidade.* Outra forma de pôr em prática a benignidade é observar as necessidades dos outros. Para tanto, basta usar a capacidade de observação que Deus nos concedeu. A Bíblia diz: "O ouvido que ouve e o olho que vê, o Senhor os fez, tanto um como o outro" (Pv 20.12). Devemos estar *sempre* observando e ouvindo os que estão à nossa volta. Na verdade, é assim que Deus zela por nós: "Porque os olhos do Senhor repousam sobre os justos, e os seus ouvidos estão abertos às suas súplicas" (1Pe 3.12). E você e eu podemos zelar pelas pessoas da mesma maneira que Deus zela por nós... apenas observando e ficando atentas às necessidades dos outros.

Li a história da mãe de um evangelista que pôs em prática a benignidade e a observação: "Um dia, ele a encontrou sentada à mesa em companhia de um mendigo. Aparentemente, ela saíra para fazer compras, encontrara o mendigo no caminho e o convidara para uma refeição quente em sua casa. Durante a conversa, o mendigo disse:

– Eu gostaria que existissem mais pessoas como a senhora no mundo.

Ao que ela respondeu:

– Ah, existem! Mas é preciso procurá-las.

Planejando a Benignidade

O mendigo sacudiu a cabeça e disse:

– Mas eu não precisei procurar pela senhora. A senhora procurou por mim!".[12]

Quando você ou eu começamos a observar os outros, em breve passamos a conhecer seus anseios e necessidades, da mesma forma que aquela senhora piedosa fez. A Bíblia também nos oferece exemplos de benignidade – exemplos que podem ajudá-la em sua caminhada com Deus.

No Antigo Testamento, *a mulher sunamita* era uma pessoa que costumava observar. Ela notou que o profeta Eliseu passava sempre por sua casa, aparentemente sem ter onde dormir e comer (2 Rs 4.8-10). A benignidade entrou em ação quando ela o convidou para fazer uma refeição em sua casa. "Daí, todas as vezes que passava por lá, entrava para comer" (v. 8).

À medida que se preocupava, pensava e observava, ela se deu conta de que ele não tinha onde morar. Movida mais uma vez pela compaixão, ela pediu ao marido: "Façamos-lhe, pois, em cima, um pequeno quarto, obra de pedreiro, e ponhamos-lhe nele uma cama, uma mesa, uma cadeira e um candeeiro; quando ele vier à nossa casa retirar-se-á para ali" (v. 10). Os olhos daquela mulher estavam bem abertos, da mesma forma que o coração e o lar. Em sua benignidade, ela observou as necessidades de Eliseu.

Outra mulher da Bíblia que notou as necessidades dos outros foi *Dorcas [Tabita].* Deus a descreve como uma mulher "notável pelas boas obras e esmolas que fazia" (At 9.36). Um de seus atos de benignidade era costurar túnicas e vestidos para as viúvas (v. 39). O que Dorcas [Tabita] viu com os olhos e ouviu com os ouvidos? Ela notou que as viúvas necessitavam de roupas – e agiu.

É claro que *Jesus*, "a benignidade de Deus" encarnada (Tito 3.4), sempre observou as necessidades do povo que o rodeava. Lemos nos Evangelhos como Ele foi tomado de compaixão quando viu a multidão faminta. Ele conhecia as necessidades daquele povo e queria oferecer-lhe alguma coisa para comer (Lc 9.13). Ele, com seu coração repleto de benignidade, repreendeu os discípulos, que queriam dispensar a multidão (v. 12). Enquanto Jesus se preocupava com a multidão e zelava por ela, os doze apóstolos zombavam da necessidade daquele povo. Enquanto Jesus se compadecia da multidão, eles viam aquele povo como um aborrecimento. Ah, quem nos dera ser como Jesus!

Há a história que Anne Ortlund conta em seu livro *Disciplines of the Beautiful Woman* [*Disciplinas da Mulher Bonita*], a qual apresenta uma mulher que caminha em benignidade. A Sra. Ortlund escreve sobre "uma mulher havaiana que monta colares havaianos todos os domingos de manhã, sem destiná-los a nenhuma pessoa em particular! Em seguida, ela vai à igreja e ora: *Senhor, quem necessita de meus colares hoje? Um visitante? Alguém que está desanimado? Leva-me a abordar a pessoa certa*".[13] Sim, esse é um exemplo claro de benignidade – uma pessoa abastecida com o amor de Deus que sai à procura de alguém; a benignidade planejando fazer alguma coisa; a benignidade observando atentamente; a benignidade procurando pessoas necessitadas. Que você e eu possamos seguir os passos dessa mulher!

4. *O toque de amor faz parte da benignidade.* Cultivamos a benignidade quando pensamos nela como se fosse o toque de amor de quem se preocupa e sente compaixão. No chá de cozinha, a que me referi no início deste capítulo, os gestos de benignidade de Judy incluíram um toque de amor quando ela serviu as mulheres e se preocupou com elas. O mesmo deve acontecer conosco. Quando ajudamos outras pessoas, demonstrando benignidade, somos levadas, instintivamente, a tocar aquelas com as quais nos preocupamos. Devemos ser como o apóstolo Paulo que escreveu que se tornou dócil entre

Planejando a Benignidade

os tessalonicenses tal qual uma "ama [mãe] que acaricia os próprios filhos" (1 Ts 2.7). Na verdade, o zelo da mãe que cuida de um bebê é uma imagem de benignidade cheia de pureza e ternura!

Nosso Salvador também demonstrou perfeita benignidade ao segurar as criancinhas. Quando os pais levaram seus filhos até Jesus para que Ele os tocasse, os discípulos os repreenderam (Mc 10.13). Posso imaginar os discípulos censurando: "Saiam! Tirem estas crianças daqui! Não incomodem o Mestre! Este é um trabalho em prol do reino!". Jesus, porém, depois de repreender os discípulos pela falta de benignidade, segurou as criancinhas nos braços e as abençoou, impondo as mãos sobre elas (v. 16).

Sim, nosso Jesus foi bondoso e meigo e sempre tocou as pessoas com as quais se preocupava. Ele parou e tocou o caixão do filho único de uma viúva (Lc 7.12-15). Ele tocou a mulher que tinha o corpo deformado e andava encurvada (Lc 13.10-13). Ele estendeu a mão e tocou um homem "coberto de lepra" (Lc 5.12,13). Ele tocou os olhos dos dois cegos (Mt 20.29-34). A lei proibia esses atos de tocar, pois estes tornavam o homem impuro e impróprio para adorar a Deus. Mesmo assim, Jesus tocou as pessoas – e um milagre acompanhava o toque. No momento em que Ele tocou os sofredores, eles foram curados, ficaram limpos, e, conseqüentemente, Jesus manteve Sua pureza aos olhos da lei.

Não é maravilhoso saber que você e eu podemos crescer na graça da benignidade de Deus? Devemos pedir, constantemente, que Deus incuta em nosso coração o desejo de zelar, pensar, observar e tocar as pessoas que Ele coloca em nossa vida. E quando sufocamos e abandonamos nossas emoções, assim como os pensamentos maldosos sobre as outras pessoas, para obedecer ao mandamento de Deus, podemos, portanto, – pelo poder do Espírito Santo – pôr em prática a benignidade.

Sendo "Muito Boazinha"

E agora, minha querida, é chegada a hora de você e eu darmos início à caminhada que nos leva a ser "muito boazinhas". Na cultura de hoje, essa virtude talvez não seja muito atraente, mas benignidade significa exatamente ser "muito boazinha". Quando a epístola aos Gálatas foi escrita, *chrestos*, um nome comum utilizado para os escravos, tinha da mesma raiz grega da palavra benignidade. Os pagãos do século primeiro, que confundiram esse nome familiar com o desconhecido *Christos*, que serve para designar Cristo, começaram a chamar os cristãos por um apelido que significava "santinho"[14] – o mesmo que ser "muito bonzinho". A grafia das duas palavras difere apenas por uma letra, mas a semelhança é muito apropriada! Nós, que andamos com Deus, devemos ser "muito boazinhas".

Disseram que minha amiga Judy era "muito boazinha". Por quê? Porque ela foi bondosa, porque estava servindo como uma "chrestos", porque estava se preocupando, pensando, observando e tocando, e porque ela é uma "Christos", uma espécie de Cristo, uma "santinha". A benignidade de Judy deveria ser o objetivo de cada de uma de nós à medida que continuamos a cultivar esse fruto do Espírito. Um estudioso da Bíblia disse: "Precisamos cultivar desenvoltura para ser benevolentes, adquirir habilidades na arte de aplicar o amor cristão ao coração e à vida daqueles com quem temos contato nas inúmeras atividades e relacionamentos da vida".[15] Mas o que devemos fazer para cultivar essa arte? Tenho algumas idéias.

Coisas Que Podemos Fazer Hoje para Caminhar com Benignidade

Mencionei antes que esse segundo trio do fruto do Espírito – longanimidade, benignidade e bondade – tem muito a ver

Planejando a Benignidade

com a maneira como tratamos os outros. A ordem dessa lista implica que a benignidade é o próximo passo que devemos dar depois de ter posto em prática a longanimidade. Sei que minha reação normal quando alguém me magoa é e reagir e tomar a seguinte decisão: "Você está fora de minha lista! Não sou obrigada a suportar esse tipo de tratamento! Vou deixar de amar você!". Contudo, conforme estamos aprendendo, nesses momentos é que você e eu precisamos conquistar a vitória espiritual e pôr em prática a benignidade. Esse ato sobrenatural requer que Deus, o Espírito Santo, nos abasteça com *Sua* benignidade.

Portanto, conforme você já fez anteriormente, estou pedindo que pense na pessoa que lhe causa mais problemas e a apresente diante de Deus em oração. Quero também que você deposite diante de Deus o sofrimento, os pensamentos maus e as tentações de reagir de maneira não-cristã, como também que confesse diante Dele as vezes em que deu lugar a esses pensamentos ou tentações. Reconheça sua indelicadeza e o número de vezes que deixou de agir com benignidade. Em seguida, dê um passo adiante e peça a Deus que a ajude a demonstrar a benignidade Dele à pessoa que a magoou e ofendeu, algo que a está fazendo sofrer e está tornando sua vida muito infeliz. E, enquanto estiver sendo maltratada e aguardando pacientemente em meio ao sofrimento, cultive o fruto da benignidade. Porque o amor é paciente *e* benigno (1 Co 13.4).

Karen, minha amiga, ofereceu-me um pequeno calendário para que todos os dias, quando virar a página, eu leia uma frase de incentivo. Bem, um dia aprendi um pouco mais sobre benignidade quando li: "Benignidade é a capacidade de amar as pessoas mais do que elas merecem". Será que podemos fazer isso, querida amiga? Deus diz que podemos – e Seu Espírito nos ajuda. Portanto...

A Caminhada de Uma Mulher com Deus

❦ Ore por seus inimigos, aquelas pessoas que a maltratam e a usam (Lc 6.28). Você descobrirá que não pode odiar uma pessoa por quem está orando, como também não poderá desprezar essa pessoa. Tente! Você verá que essas afirmações são verdadeiras, porque a oração e o ódio não se misturam. A oração também não se mistura com o desprezo.

❦ Passe algum tempo com Deus confessando todas as maldades que cometeu a uma pessoa ou a um grupo de pessoas. Peça a ajuda de Deus para demonstrar a benignidade do Espírito àquelas pessoas.

❦ Peça a Deus que a ajude a ser conhecida mais como uma pessoa que conforta do que como uma pessoa que confronta.

❦ Estude a vida de Jesus para conhecer mais exemplos de benignidade e siga os passos do Mestre. Anote os exemplos de benignidade que Ele nos deixou à medida que os encontrar, observando as circunstâncias que cercaram a misericórdia dele.

❦ Comece a esforçar-se em casa para pôr em prática o mandamento de Deus para que você seja uma pessoa benigna (Ef 4.32). De que seu marido está necessitando? E seus filhos? Ou suas colegas de quarto? O que você poderia fazer para facilitar a vida deles?

❦ Ore e peça a Deus que abasteça seu coração com Sua compaixão todos os dias e a cada passo que você dá enquanto caminha com Ele .

Capítulo 8

Oferecendo Bondade

> [...] o fruto do Espírito é [...] bondade.
> Gálatas 5.22

Já era tarde da noite quando me deitei com um livro na mão, na esperança de atingir meu objetivo de ler, por pelo menos cinco minutos, antes de apagar a luz. O dia havia sido agitado e exaustivo e estava extremamente cansada... mas levaria adiante minha leitura de cinco minutos. O livro em minhas mãos era um tesouro que encontrara naquela manhã na livraria. Pensei com carinho, o dia inteiro, no momento em que abriria aquela pequena relíquia. Havia apenas um exemplar na prateleira da loja, e o título chamou-me a atenção e aguçou minha curiosidade: *People Whose Faith Got Them into Trouble* [*Pessoas cuja fé lhes causou problemas*].[1] Por fim, o momento havia chegado – se conseguisse ficar acordada! Quando comecei a ler o livro, cujo subtítulo era *Stories of Costly Discipleship* [*Histórias de discipulado que exigiram muito sacrifício*], as palavras de abertura do primeiro capítulo atraíram tanto minha atenção que li muito mais tempo do que o habitual. O trecho era este:

A Caminhada de Uma Mulher com Deus

O som dos cascos à meia-noite – cavaleiros galopando no pátio – e o retinir das armaduras dos soldados cercam a casa e despertam o velho. Dois oficiais apeiam dos cavalos e batem à porta de madeira com os cabos das lanças.

As criadas, com cabelos desgrenhados e roupas de dormir, sobem correndo a escada e insistem para que o fugitivo de cabelos brancos se esconda embaixo da cama, no armário... em qualquer lugar. Contudo, ele pede que elas se calem, joga uma capa sobre os ombros frágeis, desce a escada, abre a porta e convida os homens que vieram prendê-lo para entrar na casa.

Ele instrui as criadas: "Rápido, preparem alimento quente e algo para beber. Vocês não vêem que estes homens estão cansados de tanto cavalgar a noite toda? Eles necessitam descansar um pouco; ofereçam-lhes o que houver de melhor na casa".

Confusos diante da inesperada acolhida, os oficiais lotam a sala e se aglomeram ao redor de um braseiro de bronze no chão.

Enquanto eles aquecem as mãos enrijecidas pelo frio da noite de 22 de fevereiro de 166, Policarpo, o bispo ancião de Esmirna... faz o possível para que seus convidados se sintam confortáveis. Ele mesmo serve tanto aos oficiais como aos soldados, os pratos quentes preparados por suas criadas.[2]

Oferecendo Bondade

Que maravilhoso exemplo de bondade cristã! Um homem sendo perseguido, um homem que em breve provaria o gosto da morte ao ser queimado preso a uma estaca, estava demonstrando amor por seus perseguidores! Esse homem estava exibindo o fruto do Espírito: a *longanimidade* permitiu-lhe acolher gentilmente seus captores; a *benignidade* fez com que pensasse nas necessidades deles, e a *bondade* agiu. O homem que estava sendo conduzido à morte, ao servir ele mesmo os que os perseguiam, atendeu às necessidades daqueles que foram buscá-lo. Essa história de Policarpo oferece-nos um exemplo vívido do fruto do Espírito em ação.

Revendo nosso Progresso

Até esta parte do livro, você e eu examinamos duas graças que ajudam nossos relacionamentos com as outras pessoas. A primeira é a *longanimidade*. A longanimidade assemelha-se a uma semente escondida debaixo da terra, que ali germina, incubando a vida de maneira silenciosa e lenta. A longanimidade aguarda pacientemente na escuridão da terra, escondida da vista de todos, sem fazer nada (aparentemente!). Esse doce fruto da longanimidade possibilita que a benignidade e a bondade se desenvolvam.

A seguir, vem a *benignidade*. A benignidade germina da semente da longanimidade nos momentos íntimos que passamos a sós com Deus. Desenvolvendo minúsculas raízes capilares que, em breve, se transformam em um completo conjunto de raízes e na parte reconhecível do caule, a benignidade esforça-se a todo custo para despontar em direção ao céu, esticando-se em direção a Deus, desejando crescer e fazer alguma coisa. Por fim, as aspirações da benignidade se desenvolvem completamente, e a energia de um coração abastecido com a benignidade de Deus possibilita que a planta tenha forças para irromper do solo.

E, agora, contemplamos a *bondade* abrindo caminho à força para atravessar o solo duro e áspero... de nosso coração, do coração do homem, da maldade do mundo... e florescer para transformar-se em obras. À medida que nos maravilhamos diante desse fruto – semeado, muitas vezes, com sofrimento e injúrias que temos de suportar de outras pessoas –, devemos fazer uma pausa e louvar nosso Pai celestial por Sua sabedoria, porque somente Ele sabe como produzir graciosidade em nossa vida, como extrair beleza das cinzas (Is 61.3), como vencer o mal com o bem (Rm 12.21) e como transformar uma grande tristeza em bênçãos maiores ainda.

Minha querida, somente nosso Deus misericordioso sabe o que fazer para nos tornar iguais a Ele! Da mesma forma que planejamos a disposição dos canteiros de um jardim, Deus modela a sua vida e a minha de acordo com um plano. Ele usa as pessoas, os eventos e as circunstâncias de nossa vida para vivermos de maneira piedosa, e nos conduz passo a passo. Quando andamos com Ele – ouvindo sua voz, orando humildemente, seguindo seus caminhos e imitando seu Filho amado –, manifestamos Sua glória porque exibimos Seu fruto. À medida que estudamos esses frutos, passamos a conhecer o que Deus deseja para nós em nossa caminhada com Ele: Deus deseja que sejamos semelhantes a Ele. E uma das maneiras de ser semelhante a Ele é exibir o fruto da bondade.

Compreendendo a Bondade

O fruto da bondade será mais fácil de ser exibido se compreendermos três aspectos da definição bíblica sobre a bondade espiritual. Esses aspectos têm muito a ver com nossa conduta em relação às outras pessoas.

Oferecendo Bondade

1. *A verdadeira bondade é espiritual em sua origem.* A Bíblia nos revela que Deus é bom (Sl 33.5; Ne 9.25,35). Na verdade, a Bíblia relata, de capa a capa, a história da misericordiosa bondade de Deus! Um estudioso define essa bondade como "a soma de todos os atributos de Deus... expressando a... excelência do caráter divino".[3] E nós, como filhas de Deus, podemos exibir Sua bondade, uma bondade tão repleta de justiça que chega a odiar o mal.[4] Que privilégio abençoado poder representar nosso Deus!

A Bíblia também nos mostra que a bondade de Deus é o oposto da *maldade do homem*.[5] E, devido a essa maldade (conforme mencionei no primeiro capítulo), necessitamos da ajuda espiritual de Deus. Primeiro, *nosso pecado* torna a bondade humana impossível. Conforme Paulo escreve no Livro de Romanos, "Não há justo, nem um sequer [...]; não há quem faça o bem, não há nem um sequer" (Rm 3.10,12). Segundo, necessitamos da ajuda de Deus devido à *nossa carne*. O apóstolo Paulo expressa maravilhosamente a luta que existe em cada ser humano – a guerra travada com a carne – quando ele clama em desespero: "Porque eu sei que em mim, isto é, na minha carne, não habita bem nenhum" (Rm 7.18).

Portanto, em razão de nosso pecado e de nossa carne, necessitamos da graça de Deus e do poder do Espírito para exibir o fruto da bondade, porque toda e qualquer bondade – a genuína bondade – deve incluir Deus na fórmula.

2. *A bondade é ativa.* Conforme aprendemos no capítulo anterior, benignidade significa querer praticar o bem aos outros. E, agora, a bondade entra em ação. Deus está *em* nós, e sua presença *conosco* produz *Sua* bondade em nós. E Sua bondade em nós resulta em benevolência ativa,[6] atividade benevolente em prol dos outros.[7] Não consigo pensar em outra coisa que possa glorificar mais a Deus! E você?

3. *Bondade é disposição para fazer o bem.* Além de ser ativa, a bondade dedica-se inteiramente a ajudar os outros a viver bem.[8] É uma qualidade governada pelo que é bom e tem como objetivo o que é bom[9] – uma disposição para fazer o bem.[10] De fato, a bondade está sempre alerta, pronta para fazer o bem e à espera de fazer o bem.

Você não concorda que nosso mundo, nossas igrejas e nossos lares necessitam de pessoas que sejam ativamente bondosas? De pessoas que, todos os dias, atravessem a soleira da porta prontas para fazer o bem, além de pensar sobre isso e orar nesse sentido? De pessoas que se dediquem a melhorar a vida dos outros? *A bondade faz tudo!* Esta é, para mim, a definição desse fruto do Espírito. A bondade faz o possível para demonstrar a bondade de Deus em relação às outras pessoas. A bondade completa aqueles maravilhosos pensamentos da benignidade, pensamentos estes que surgem quando estamos orando, zelando, observando e planejando agir. A bondade utiliza os passos das boas intenções para servir ativamente aos outros. John Wesley compreendeu esse princípio e o transformou em regra de vida... e nós devemos fazer o mesmo:

> Faça todo o bem que você puder,
> utilizando todos os meios que puder,
> em todos os caminhos que puder,
> em todos os lugares que puder,
> em todas as oportunidades que puder,
> para todas as pessoas que puder,
> sempre e quando puder.

Compreendendo a Expressão "Andar em Bondade"

Agora, quero lhe mostrar como a bondade de Deus em nós trabalha. A presença do Espírito Santo em nosso interior

Oferecendo Bondade

deveria fazer a diferença na maneira como vivemos e como tratamos as outras pessoas. É por isso que Deus nos faz estas exortações: "andemos nós em novidade de vida" (Rm 6.4); "andeis de modo digno da vocação a que fostes chamados" (Ef 4.1); "andai em amor" (Ef 5.2); "andai como filhos da luz" (Ef 5.8); "andai nele (em Cristo Jesus)" (Cl 2.6); "para viverdes por modo digno de Deus, que vos chama para o seu reino e glória" (1 Ts 2.12); "andar assim como ele [Jesus] andou" (1 Jo 2.6); e "andai no Espírito" (Gl 5.16).

Para andarmos com Deus (que é o tema central deste livro), você e eu temos de tomar decisões sérias. Um viajante fez essa observação: "Se quisermos viver no Espírito, temos de cultivar o fruto da bondade, e a bondade não surge naturalmente; ela sempre exige uma decisão".[11] E nossos relacionamentos com os outros, principalmente com quem nos magoa – a arena em que pomos em prática a longanimidade, a benignidade e a bondade – também requer decisões. Uma decisão definitiva que podemos tomar quando alguém nos magoa é caminhar com *longanimidade* e *não fazer nada*. Depois de tomarmos esta decisão (*não* perder as estribeiras, *não* repreender, *não* sucumbir à raiva, *não* revidar, *não* retaliar), podemos passar para a próxima escolha – a *benignidade* – e *planejar fazer alguma coisa*, praticar atos de bondade.

Você está vendo como a graça que Deus nos concede, quando caminhamos no Espírito, produz um milagre após o outro em nossa vida? Por exemplo, Milagre 1: Em vez de explodir de raiva ou de ódio, pomos em prática o amor em forma de longanimidade. A seguir, ocorre o Milagre 2: Nosso coração se modifica. O desejo *natural* de vingança dá lugar ao desejo *sobrenatural* de fazer o bem. A bondade ora da seguinte maneira: *O que posso fazer para amar essa pessoa por amor a Cristo?* E, agora, ocorre o Milagre 3: A bondade faz tudo! A bondade põe o amor de Deus em ação, leva adiante nossos

A Caminhada de Uma Mulher com Deus

planos de benignidade e oferece – ou melhor, derrama! – o amor de Deus aos outros.

Ah, querida leitora, esse modo de vida – caracterizado pela longanimidade, benignidade e bondade de Deus – *é o mesmo que* andar no Espírito! *Esse* modo de vida vence o mal com o bem (Rm 12.21), não paga o mal por mal, nem a injúria por injúria (1 Pe 3.9). *Esse* modo de vida é uma vitória espiritual – a vitória do Espírito sobre a carne – e a prova de que Deus está trabalhando em nossa vida. E *esse* modo de vida é piedoso, porque só podemos fazer isso quando Deus habita em nós!

Devemos sempre nos lembrar de que o fruto pertence a Ele. Quando obedecemos aos mandamentos de Deus, Ele produz Seu fruto em nós. E esse fruto também é produzido mediante Sua graça e O glorifica: somos instruídas a deixar que nossa luz brilhe diante dos homens para que eles vejam nossas boas obras e glorifiquem a nosso Pai que está nos céus (Mt 5.16). Contudo, a escolha tem a ver com o que Romanos 6.13 nos diz: "nem ofereçais cada um os membros do seu corpo ao pecado, como instrumentos de iniqüidade; mas oferecei... os vossos membros, a Deus, como instrumentos de justiça".

Essa escolha, minha amiga, é o foco de nossa batalha constante entre a carne e o Espírito (Gl 5.17). Você e eu precisamos nos esforçar para fazer as escolhas certas – as escolhas de Deus. E precisamos recorrer a Deus e solicitar Sua ajuda para conquistarmos a vitória sobre o pecado. Depois, o milagre dos milagres, nossa vida passará a glorificá-Lo verdadeiramente, à medida que o fruto do Espírito cresce e fica aparente em nossa caminhada com Ele!

Escolhendo a Bondade

Algumas mulheres que participam de minha classe noturna de estudos bíblicos levaram a sério as escolhas que tiveram de fazer em sua caminhada com Deus. Susan, por exemplo,

Oferecendo Bondade

ficou magoada com seus vizinhos que não eram cristãos e que a ridicularizavam abertamente por ela ser cristã. Ela me contou seu plano de ação.

– Estabeleci um objetivo. Seja o que for que eles disserem quando eu estiver passando, decidi que reagirei com bondade... e insistirei para que meus filhos façam o mesmo. Devemos ser exemplos de Cristo. E minha decisão já está funcionando! A mãe começou a sorrir e a me cumprimentar, e espero que o pai em breve faça o mesmo.

Ann, também, ficou magoada... por causa das mulheres cristãs que freqüentavam o mesmo estudo bíblico que ela. O que Ann fez? Como lidou com a situação? Como reagiu – Decidi não me sentir ofendida por não ter sido convidada para sair com elas. Decidi não sentir amargura nem ressentimento. Só necessito demonstrar amor por elas.

E há o caso de Maria, que enfrenta diariamente um chefe hostil e autoritário, um homem que ela descreve como rude e mal-humorado. Sua situação no trabalho chegou a tal ponto que ela teve de tomar uma decisão espiritual: reagir de maneira não-cristã ou reagir de maneira cristã. Ela escreveu: "Tive de fazer uma escolha – devolver as ofensas que recebia ou mostrar a ele a benignidade e a bondade do Senhor".

Exemplos como estes e escolhas como estas surgem a todo momento, e estou certa de que você já adquiriu uma noção de como caminhar em bondade quando se depara com situações semelhantes. Da mesma forma que ocorreu com aquelas mulheres maravilhosas, nossa caminhada com Deus exige muitas decisões de nossa parte à medida que olhamos constantemente para Deus e lhe perguntamos: "Qual é a atitude certa a ser tomada?".

Reconhecendo a Bondade como uma Responsabilidade Atribuída por Deus

Todas as vezes que fui admitida em uma empresa, recebi uma lista das responsabilidades inerentes à minha função. E, como essas responsabilidades eram apresentadas por escrito, eu sempre sabia o que a empresa esperava de mim. Sempre que me sentia em dúvida, bastava reler a lista para saber o que fazer. Bem, minha amiga, você e eu, como cristãs, também temos uma lista de responsabilidades. Deus incluiu em Sua Palavra exatamente aquilo que Ele deseja de nós. E a bondade, além de ser um fruto do Espírito, é algo que Ele espera de nós. Ao longo das Sagradas Escrituras, somos instruídas inúmeras vezes a praticar boas obras. É uma responsabilidade que Deus nos atribuiu.

Por exemplo, reflita sobre Efésios 2.8-10. Esse foi um trecho da lista que mudou minha vida, porque mostra a responsabilidade que tenho de crescer em boas obras e na graça de Deus. Esta passagem nos diz que "somos feitura dele [de Deus], criados em Cristo Jesus para boas obras, as quais Deus de antemão preparou para que andássemos nelas" (v. 10). Deus ordenou que devemos ter uma vida dedicada às boas obras.

No entanto, esta passagem ensina que somente nossa salvação torna possível a concretização desse objetivo. E... exatamente como essa salvação é conseguida? "Não de obras", diz o versículo 9! Não, nossas obras não têm nada a ver com nossa salvação! C.H. Spurgeon observou que seria melhor atravessar o Atlântico dentro de um barco de papel do que tentar alcançar o céu mediante boas obras! As boas obras *não* resultam em salvação, mas "pela *graça* sois salvos, mediante a fé; e isto não vem de vós, é dom de Deus" (Ef 2.8, grifo da autora). E é essa graça que nos capacita a praticar as boas obras. Em outras

Oferecendo Bondade

palavras, as boas obras não salvam, mas as boas obras, mais cedo ou mais tarde, acompanham a salvação.[12]

Outra parte das responsabilidades que Deus atribui a você e a mim, como membros da "família da fé", é encontrada em Gálatas 6.10. Aqui, Deus manifesta Seu desejo de que devemos praticar boas obras a todas as pessoas – não apenas aos cristãos, mas àqueles que não são cristãos. Lemos em Gálatas 6.10 que enquanto tivermos oportunidade, façamos o bem a todos, mas principalmente aos da família da fé. E, conforme o Dr. Chuck Swindoll admite, nem sempre estamos dispostos a fazer o bem. Por quê? Porque "nossa tendência [quando estamos magoados] será a de fazer qualquer coisa [menos o bem]. Em vez de fazer o bem, temos a tendência de fazer o mal. Cólera. Palavras torpes. Gritos. Brigas. Mau humor. Irritação. Liberação de todos os tipos de carga emocional. Em vez de dar vazão a todas essas atitudes conhecidas e rotineiras, acalme-se e, conscientemente, entregue *tudo* ao Senhor. Façamos o bem".[13] Fazer o bem a todos é uma tarefa difícil, mas o Senhor se compraz em nos ajudar a cumpri-la.

O outro item de nossa lista de responsabilidades – e uma de minhas formas favoritas para relacionamentos pessoais – está em Lucas 6.27,28. Esses versículos revelam o mandamento de Jesus para amarmos as pessoas com as quais temos dificuldade de nos relacionar. Ele diz: "Amai os vossos inimigos, fazei o bem aos que vos odeiam; bendizei aos que vos maldizem, orai pelos que vos caluniam". Em outras palavras, devemos amar aqueles que nos causam sofrimento. Como? Mediante a reação *pessoal* de fazer o bem, a reação *pública* de abençoar e a reação *particular* de orar.

Abraham Lincoln foi capaz de fazer isto em relação a um homem desprezível e grosseiro, chamado Stanton. Lincoln soube exatamente como amar seus inimigos da maneira como Jesus nos instruiu, conforme podemos observar no relato a seguir:

Ninguém tratou Lincoln com tanto desprezo como Stanton. Ele o chamava de "palhaço de quinta categoria", apelidou-o de "exemplo vivo de um gorila" e disse que [seria tolice] percorrer a África tentando capturar um gorila, já era muito fácil encontrar um em Springfield, Illinois. Lincoln não disse nada. Nomeou Stanton seu ministro da guerra porque era o melhor homem para ocupar aquela função e tratava-o com toda cortesia. Os anos passaram. Em uma noite, um projétil mortal ceifou a vida de Lincoln no teatro. Aquele mesmo Stanton estava presente na pequena sala para a qual o corpo de Lincoln foi levado. Olhando para o rosto imóvel de Lincoln, ele disse entre lágrimas: "Aqui jaz o maior governador de homens que o mundo conheceu até hoje".[14]

Conforme Jesus disse, não devemos nos recusar a amar ninguém. Em toda e qualquer circunstância, devemos amar nossos amigos e inimigos da mesma forma, mediante atos de bondade. Devemos agradecer a Deus porque Ele nos ajuda a levar adiante essa responsabilidade abastecendo-nos com Sua bondade, para que possamos reparti-la com os outros!

Pondo a Bondade em Ação

À medida que você e eu cumprimos diariamente as rotinas e responsabilidades da vida, temos amplas oportunidades de optar pela bondade. E muitos desses desafios se apresentam em meio a nossas várias funções como mulheres – casadas ou solteiras. Fico impressionada ao ver quantas vezes Deus especifica a bondade e as boas obras quando nos chama para Sua obra.

Como mulheres, devemos aprender o significado da bondade. Em Tito 2.5, Paulo escreveu ao jovem e novato pastor Tito, alertando-o para o fato de que as mulheres jovens deviam ser instruídas por outras mulheres e incentivadas, entre outras coisas, a "serem sensatas" (Tt 2.5).

Esta, querida irmã, é a instrução para nossos relacionamentos diários na vida familiar. As mulheres mais velhas devem incentivar as mais novas a amar seus maridos e filhos (v. 4).

As servas de Deus devem exibir bondade espiritual "enquanto realizam as tarefas do lar... [e devem] tomar cuidado para que as constantes pressões domésticas não as tornem irritadiças ou cruéis. Elas devem orar pedindo graça para permanecerem benignas [e bondosas]".[15] Que conselho sensato!

Como mulheres, devemos transmitir lições de bondade. Assim que uma mulher jovem aprende as lições de bondade com as mais velhas, ela deve assumir o papel de instrutora e passar adiante o que aprendeu ao longo dos anos. Não era Tito quem deveria instruir as mulheres. Ele deveria pedir às mulheres mais velhas que ensinassem coisas boas e incentivassem as mais novas a serem sensatas e bondosas (Tt 2.3-5). Isto significa que você e eu podemos – e devemos... e *precisamos!* – usar tudo o que aprendemos para transmitir, às outras mulheres, o que significa andar no Espírito.

Como mulheres, devemos nos dedicar à bondade. Em 1Timóteo 5, Paulo descreve as viúvas da igreja que deveriam ser ajudadas financeiramente: as que viveram "na prática zelosa de toda boa obra" (v. 10). E quais eram essas boas obras? Paulo escreve: "que tenha sido esposa de um só marido [...], tenha criado filhos, exercitado hospitalidade, lavado os pés aos santos, socorrido a atribulados, [e] se viveu na prática zelosa de toda boa obra" (v. 9,10). Vemos claramente que a bondade praticada pelas viúvas – e por nós também – deve começar em casa. Elas deviam ser esposas fiéis, mães sábias, mulheres hospitaleiras e benfeitoras.[16] Ah, como tenho orado para que você e eu jamais negligenciemos a importância do que se passa em nosso lar! Nossa bondade deve ser posta em prática entre as pessoas que vivem sob nosso teto, bem como entre aquelas que adentram nossa casa.

Como mulheres, devemos nos adornar com bondade. Em 1Timóteo 2.9,10, o apóstolo Paulo fala sobre o lugar que as mulheres ocupam na igreja. Aqui, ele escreve que Deus deseja que as mulheres se adornem "com boas obras (como é próprio às mulheres que professam ser piedosas)" (v. 10). E, com referência às mulheres cristãs, um estudioso escreve que as boas obras "criam aquele adorno espiritual que é a verdadeira glória das mulheres cristãs".[17]

O adorno de boas obras para uma mulher sugere uma vida de dedicação a outras pessoas, um adorno que não seja representado pelo que ela usa, mas pelo amor com que ela serve aos outros.[18] Evidentemente, Deus deseja que as boas obras sejam nosso principal adorno. E esse é o adorno que Ele deseja que as outras pessoas observem – e não nossas roupas ou nossas jóias. Essas boas obras, esses atos altruístas e essas ações de sacrifício refletirão nossa caminhada com Deus.

Conhecendo Alguns Exemplos de Bondade

À medida que você e eu folheamos nossa Bíblia, encontramos muitos exemplos de bondade.

- ❧ Conforme já vimos, *Dorcas* [Tabita] foi uma mulher "notável pelas boas obras" em prol das viúvas (Atos 9.36). Por ser uma pessoa benigna, ela notou as necessidades das viúvas e pôs em prática a bondade, fazendo roupas para elas (v. 39).

🕮 *A mulher sunamita*, uma pessoa benigna, notou que Eliseu passava por sua cidade. Sua bondade entrou em ação, e ela tomou uma atitude: além de proporcionar alimento ao profeta, mandou construir um pequeno cômodo no alto de sua casa para que Eliseu pudesse descansar ali todas as vezes que passasse pela cidade (2Rs 4.8-10).

🕮 Quando *Rebeca*, a futura esposa de Isaque, chegou ao poço da cidade para retirar água, ela avistou um homem idoso e cansado que acabara de chegar de uma viagem de oitocentos quilômetros. Por ser uma mulher benigna, ela percebeu que ele estava exausto devido à longa viagem e notou suas necessidades. Sua bondade levou-a a oferecer-lhe água – e também a seus dez camelos. Rebeca complementou suas observações com ação. Ela fez tudo o que podia para amenizar a vida do velho servo ao atender às suas necessidades (Gn 24.15-20).

🕮 *Lídia*, no mesmo dia em que se tornou cristã, após ouvir as palavras de Paulo, percebeu, por ser uma mulher benigna, que o apóstolo e seus companheiros não tinham lugar para ficar. A bondade que acabara de nascer em seu coração a fez agir e ela insistiu: "Entrai em minha casa, e aí ficai" (At 16.15). Lídia foi hospitaleira. Fez tudo o que podia por eles.

🕮 *Marta*, infelizmente, nos apresenta um exemplo negativo. Ah, ela praticou todos os *atos* de bondade, mas

A Caminhada de Uma Mulher com Deus

praticou-os sem longanimidade, sem benignidade e sem bondade. Marta praticou as obras da carne. Em nosso capítulo a respeito da paz, lemos que ela se descontrolou e reclamou; Marta estava acusando, censurando e caluniando (Lc 10.38-42). Ela pôs em prática as obras da carne em vez de andar no Espírito (Gl 5.16). Marta serve de sinal de alerta para nós, mostrando como é fácil deixar de fazer uma boa obra.

Aprendendo com a Bondade de Jesus

É claro que Jesus nos oferece o exemplo sublime de cada fruto da graça, e a Palavra de Deus mostra a longanimidade, a benignidade e a bondade entrelaçadas na vida de Jesus. Por exemplo, em Lucas 9.51-56, nosso Senhor está caminhando com determinação em direção à cruz. Ele decidiu seguir para Jerusalém, sabendo que morreria ali pelos pecados da humanidade. Jesus enviou alguns de Seus discípulos adiante Dele para que providenciassem acomodações para eles em uma aldeia de samaritanos – e o povo de lá não O recebeu. Os samaritanos – por quem Jesus também morreria – disseram, em essência: "Vá embora. Não queremos você aqui!".[19]

Veja bem, minha amiga, esse povo era um problema! Jesus – o amor de Deus em forma humana – dirigiu-se a Jerusalém para demonstrar, por meio de Seu sangue, Seu amor pelo povo pecador. E os samaritanos não quiseram acolhê-Lo em sua cidade, nem sequer por uma noite! Mas observe a reação dos discípulos: "Senhor, queres que mandemos descer fogo do céu para os consumir?" (Lc 9.54). E, agora, observe a reação do Senhor. O que Ele pensou a respeito da sugestão dos discípulos? Virando-se para eles, os repreendeu, dizendo: "Vós não sabeis de que espírito sois. Pois o Filho do homem não veio para destruir as almas dos homens, mas para salvá-las" (vv. 55,56). A seguir, Jesus os conduziu a outra aldeia.

Oferecendo Bondade

Jesus era a longanimidade em ação. O rejeitado foi *Ele*, não os discípulos! E Ele poderia ter-se vingado, mas preferiu não fazer isso. Ele também era a benignidade em pessoa, pois queria o melhor para aqueles samaritanos. E Ele era a bondade em forma humana, porque continuou a viagem até Jerusalém a fim de morrer pelo povo – pelos samaritanos e por nós que somos semelhantes a eles – que o rejeitara. Os discípulos, contudo, não foram longânimes. Eles queriam vingança, retaliação, uma oportunidade de revidar! E também não foram benignos, pois queriam que os samaritanos fossem castigados. E não foram bondosos, porque queriam destruir os samaritanos fazendo descer fogo do céu para consumi-los.

Ah, quantas vezes temos a mesma atitude daqueles discípulos confusos, orgulhosos e tolos, e reagimos com antagonismo! É fácil fazer isso, não é mesmo? Tão natural... e parece ser tão bom, tão gratificante, tão correto! Mas, querida amiga, quando você ou eu somos ofendidas, rejeitadas, maltratadas ou desprezadas, nossa primeira reação deve ser a de longanimidade, a mesma que Jesus demonstrou – e não fazer nada. Essa escolha nos dá tempo (mesmo que seja por uma fração de segundo!) para orar e refletir sobre a maneira como Deus reage diante daqueles que nos causam sofrimento. Essa escolha de não fazer nada também nos dá tempo para planejar ações de benignidade que serão seguidas de ações de bondade. Verdadeiramente, cada agressão que recebemos nos dá oportunidade de pôr a santidade em prática.

Caminhando com Bondade

Oswald Chambers escreve de maneira maravilhosa: "O caráter cristão não é expresso por atos de bondade, mas por sua semelhança com Deus. Não basta fazer o bem, agir corretamente. Devemos ter a bondade gravada com a imagem e a inscrição de Deus. É uma coisa completamente sobrenatural".[20] Estas palavras nos oferecem um excelente lembrete de que nosso objetivo é crescer em santidade, e não apenas em palavras. Portanto, peço que você ore suplicando que a imagem de Deus seja gravada em sua vida à medida que você tenta cultivar a bondade, conforme sugerimos abaixo:

- Confesse quaisquer pensamentos ou ações que não sejam benignos ou bons. Agostinho escreveu: "A confissão de obras más é o primeiro passo para as obras boas".[21]

- Tome a iniciativa de atender às necessidades específicas de outras pessoas. Afinal, "amor significa ação".[22]

- Esqueça o próprio conforto: "Quando Deus está trabalhando na vida do crente, Ele deseja ser bom e fazer o bem... Torna-se claro que vida boa não significa conforto, mas santidade".[23]

- Promova a felicidade dos outros: "Benignidade é um desejo sincero de que as outras pessoas sejam felizes; bondade é a atividade calculada para promover a felicidade delas".[24]

Coisas que Podemos Fazer Hoje para Caminhar com Bondade

À medida que nos aproximamos do final da parte que trata de cultivar as ações de graça, quero pedir mais uma vez que você pense na pessoa que mais lhe cria problemas, que mais lhe causa sofrimento. E, agora, insisto que você derrame a bondade de Deus sobre aquela pessoa que a tem magoado tanto. Reflita sobre tudo o que puder sobre bondade e ajude

Oferecendo Bondade

essa pessoa. Ponha pensamentos de bondade em ação e *faça tudo* o que Deus incutir em sua mente em prol dessa pessoa. Aja mediante a graça de Deus e você estará demonstrando Sua glória enquanto caminha com Ele.

Capítulo 9

Examinando as Ações de Jesus

Jesus, nosso maravilhoso Senhor e Mestre, exemplificou perfeitamente as ações misericordiosas de santidade que estamos estudando. Observamos um exemplo no final do capítulo 5, quando vimos Jesus orando no jardim do Getsêmani. Você se lembra? Havia chegado o momento em que Ele morreria pelos pecados do mundo. Em sua condição humana, Jesus necessitou recorrer a Seu Pai onisciente para aceitar aquela missão terrível. E assim, resistindo a todos os instintos humanos de rebelar-se, entrar em pânico, voltar atrás ou desfalecer, Jesus quedou-se diante do Pai, em oração. Em seguida, após alguns momentos de oração fervorosa e sincera, Jesus aceitou os eventos que se seguiriam, "acalmou seu Espírito"[1] e levantou-se do chão abastecido com o amor, a alegria e a paz de Deus. Fortalecido por seus momentos de oração e após ter se "preparado inteiramente"[2], Jesus reuniu Seus discípulos sonolentos e atravessou intrepidamente o portão do jardim...

... para enfrentar o povo. Jesus sabia que aquele povo o aguardava do outro lado do portão. Minha amiga, os problemas de relacionamento pessoal sempre farão parte

A Caminhada de Uma Mulher com Deus

do desafio da vida cristã, mas podemos aprender muito com nosso Senhor que, mesmo naquele momento, exibiu magnificamente a reação misericordiosa de Deus para aquele povo. Exatamente quem estava aguardando por Jesus do lado de fora do jardim?

O Traidor

Enquanto caminhava resolutamente em direção à entrada do jardim, Jesus disse: "Eis que o traidor se aproxima" (Mt 26.46). O Salvador sabia perfeitamente *o que* aconteceria a seguir – e sabia também *quem* seria usado como instrumento: Judas. Como o coração de Cristo deve ter sofrido quando Ele olhou no rosto e nos olhos de Judas – um dos doze escolhidos para levar adiante Seu ministério de ensinar, liderar, suprir as necessidades do povo e operar milagres; um daqueles por quem o Salvador havia orado e alimentado com a milagrosa multiplicação dos pães e peixes; um daqueles a quem o Salvador havia lavado os pés com Suas mãos santas; um dos que ouvira as palavras de vida e as verdades de Deus proferidas pelo próprio Senhor. Poucas pessoas gozaram dos privilégios que Judas teve de desfrutar, diariamente, a presença de nosso amoroso Jesus!

Mesmo assim, lá estava Judas, envolto na escuridão do inferno e da maldade de Satanás, um traidor e um enganador. Que tristeza e decepção nosso Senhor deve ter sentido! Que mágoa e pesar devem ter tomado conta de Seu coração! Um amigo, um discípulo, um companheiro chegado – agora um traidor!

A Turba

E Judas não estava sozinho. E "eis que chegou Judas [...] e, com ele, grande turba com espadas e porretes, vinda da parte dos principais sacerdotes e dos anciãos do povo" (Mt 26.47).

Examinando as Ações de Jesus

No meio desse grupo, que chegava a milhares[3] de pessoas, estavam os capitães do templo (Lc 22.52), um contingente de soldados romanos, os sumo sacerdotes e os anciãos.[4]

Sim, Jesus teve de lidar com o povo. Nas dezoito horas seguintes, Ele enfrentaria uma multidão de pessoas hostis – pessoas que o maltratariam tanto física como verbalmente, pessoas que lhe lançariam não apenas insultos, mas também gestos de afronta, açoites, bastões, martelos e lanças. Ainda estavam para chegar o sumo sacerdote Caifás, os escribas, os anciãos e todo o Sinédrio (Mt 26.57-60).

E haveria mais sofrimento ainda! A lista dos inimigos de Jesus prossegue:

- Pilatos – que pediria a morte de Jesus (Mt 27.2).

- Os soldados – que O despiriam, ririam Dele, cuspiriam Nele e O surrariam (vv. 28-30).

- Os dois ladrões crucificados com Jesus – um deles O insultaria (Lc 23.39-41).

- A multidão – que Lhe lançaria ofensas e menearia a cabeça para zombar dele (Mt 27.39,40).

- Os discípulos – que fugiriam, deixando Jesus mais sozinho ainda (Mt 26.56).

Verdadeiramente, o exército do demônio havia se reunido com a finalidade de prender Jesus e conduzi-Lo à morte.

A Reação Carnal

Assim que Judas beijou Jesus, os inimigos se aproximaram, deitaram as mãos Nele e O prenderam (Mt 26.50). Nos próximos segundos, vemos (mais uma vez!) a reação carnal

A Caminhada de Uma Mulher com Deus

dos discípulos de Jesus contrastando nitidamente com a reação misericordiosa do Mestre, reação de longanimidade, benignidade e bondade.

Pense por um minuto na cena confusa da prisão de Jesus. Aconteceu na calada da noite. Possivelmente, mil pessoas participaram dessa ação. Houve confusão e pânico. As emoções chegaram ao auge quando o Salvador do mundo teve de enfrentar o maligno.

E, no calor daquelas emoções, "um dos que estavam com Jesus, estendendo a mão, sacou da espada, e, golpeando o servo do sumo sacerdote, cortou-lhe a orelha" (v. 51). Lemos no Evangelho de João que aquele "um" era Pedro (Jo 18.10). Pedro não demonstrou longanimidade. Ao contrário, partiu para a ação. Agarrou uma espada e empunhou-a – mas, veja esta observação feita por alguém: "Que golpe ridículo! Semelhante ao de um homem sonolento! Em vez de atingir a cabeça, ele atingiu apenas a orelha".[5] Não houve longanimidade no desejo de Pedro de golpear, açoitar, espancar e matar! Ele também não demonstrou benignidade – a benignidade de Deus, que deseja o melhor para os outros. Ao contrário, a ação de Pedro causou o sofrimento de alguém. E, certamente, ele não demonstrou bondade – aquele fruto do Espírito que faz tudo pelo bem das outras pessoas. Em vez disso, Pedro feriu um homem em sua tentativa de proteger o Mestre. Definitivamente, Pedro reagiu de maneira carnal. Ele optou pela reação fácil. Reagiu. Evidenciou "as obras da carne" (Gl 5.19).

A Reação Divina

Jesus também agiu. Observe como a reação Dele exibiu o fruto do Espírito.

A reação divina de longanimidade – Primeiro, Jesus pôs em prática a perfeita longanimidade de Deus. Você se lembra

Examinando as Ações de Jesus

da definição de longanimidade dada no capítulo 6? Longanimidade é a capacidade de suportar as ofensas lançadas por outras pessoas, é demonstrar interesse pelo bem dessas pessoas; a longanimidade não é vingativa e *não faz nada*. Jesus exemplificou cada aspecto desse fruto misericordioso. Não querendo fazer nada para vingar-se, Ele disse a Pedro: "Embainha a tua espada" (Mt 26.52). Jesus poderia, perfeitamente, ter-se vingado, mas Ele repreendeu a ação punitiva de Pedro quando lhe perguntou: "Acaso, pensas que não posso rogar a meu Pai, e ele me mandaria neste momento mais de doze legiões de anjos?" (v. 53). Em vez de invocar a presença de setenta e dois mil anjos, Jesus agiu com perfeita longanimidade. Ele não fez nada e, conseqüentemente, foi levado (v. 57) como um cordeiro ao matadouro (Is 53.7).

A reação divina de benignidade – E por que Jesus se deixou ser levado? Graças à benignidade. A benignidade de Deus preocupa-se com o bem-estar dos outros (até mesmo dos inimigos), deseja o melhor para a vida deles e, conscientemente, *planeja fazer alguma coisa* por eles. Primeiro, agindo com benignidade, Jesus "manifestou, no semblante, a intrépida resolução de ir para Jerusalém" (Lc 9.51). Depois, agindo com benignidade, Ele sofreu intensamente, em oração, durante aquelas três longas horas. E agora, agindo com benignidade, Ele enfrenta a multidão em vez de fugir. Em Sua divina benignidade, Jesus planejou fazer alguma coisa por Seus inimigos: planejou morrer por eles!

A reação divina de bondade – Por fim, agindo com bondade, nosso Salvador partiu para a ação. Bondade é benignidade em ação e flui de um coração disposto a fazer o bem. E a bondade *faz tudo* o que é possível para ajudar os outros a viver bem. E então, o que Jesus fez? Ele virou-se para o

A Caminhada de Uma Mulher com Deus

homem cuja orelha havia sido cortada por Pedro, e "tocando-lhe a orelha, o curou" (Lc 22.51). Esse homem fazia parte da multidão inimiga. Ele estava ali para prender Jesus, mas recebeu a bondade Dele. Ele experimentou o milagre da bondade. Na verdade, a cura dele foi o último ato de Jesus antes de ser preso. A atitude apropriada a nosso Salvador e Senhor, "a última ação daquela mão, enquanto estava livre, foi a de amor, a de prestar serviço aos homens".[6]

Nossa Reação

Verdadeiramente, Jesus é o Deus de toda graça, capaz de "fazer-vos abundar em toda graça, a fim de que, tendo sempre, em tudo, ampla suficiência, superabundeis em toda boa obra" (2Co 9.8)! Depois de ter visto a maravilhosa graça de nosso Salvador em circunstâncias terríveis, como você ou eu podemos ser agressivas com os outros? Como podemos ser impacientes com os outros depois de ter testemunhado a beleza e a graça da longanimidade de nosso Senhor para com seus algozes? Como podemos desejar o mal ou alguma desgraça sobre os outros depois de ter presenciado a benignidade de nosso Salvador, quando Ele seguiu pela estrada abandonada rumo a Jerusalém para morrer por todos nós? E como podemos agredir física ou verbalmente outra pessoa depois de ter visto nosso Salvador tocar um inimigo para curá-lo? Para sermos semelhantes a Jesus é necessário que estejamos abastecidas com a graça de Deus – com as dádivas de Seu Espírito de longanimidade, benignidade e bondade. Para reagirmos à semelhança Dele, é necessário que olhemos para Ele "a fim de recebermos misericórdia e acharmos graça para socorro em ocasião oportuna" (Hb 4.16). Olhemos para Ele agora, em oração...

Examinando as Ações de Jesus

Nesta oração, querido Pai,
Agradecemos ao Senhor pelas pessoas que colocaste em nossa vida
    as quais nos fizeram necessitar tanto de Tua graça.
Reconhecemos que
    Tua longanimidade,
    Tua benignidade e
    Tua bondade nos capacitam a não fazer nada
    que seja prejudicial a alguém,
    a realmente nos importar com os outros
    e demonstrar Teu
    amor às pessoas.
Em nossa dor... em nossas lágrimas... em nosso sofrimento...
    olhamos para Ti, ó coração de amor.
Para que nos recusemos a agir ou reagir antes de olhar,
    mais uma vez, para as ações de nosso Salvador e ver
    Tua paciência... Tua benignidade... Tua bondade.
Que possamos crescer nestas graças.
Em nome de Jesus, que não veio para ser servido,
    mas para servir aos outros...
    chegando a ponto de entregar Sua vida
    para nos resgatar. Amém.

Parte 3

Aplicações do Fruto do Espírito

Capítulo 10

Completando a Carreira com Fidelidade

> [...] o fruto do Espírito é [...] fidelidade.
> Gálatas 5.22

Jim, meu marido, no trabalho, tem uma secretária muito competente que mantém a mesa dele em ordem, mas, em casa, sou eu quem assume essa tarefa. Uma noite, enquanto eu arquivava alguns papéis de Jim, uma tira cômica de jornal caiu de dentro de uma pasta. Usando um quepe de papel parecido com o de um general, segurando uma pequenina espada de madeira e fazendo a pose de George Washington no topo de uma rocha, lá estava Pogo proferindo estas palavras infames: "Encontramos o inimigo – e o inimigo somos nós!".

"Encontramos o inimigo – e o inimigo somos nós" é exatamente como me sinto muitas noites, ao término de mais um dia que começou cheio de boas intenções. O desânimo chega quando percebo que também faço parte das pessoas que vêem, em média, 6,4 horas de TV por dia; quando percebo que estou ingerindo alimentos que fazem engordar dez quilos; quando percebo que mal toquei na lista de coisas para fazer (nem cheguei a encontrá-la!); ou quando percebo que deixei de abrir minha Bíblia. Sou minha pior inimiga quando se trata de ser uma mulher disciplinada. Como necessito do fruto do Espírito chamado domínio próprio!

Neste livro, você e eu estamos empreendendo uma jornada para descobrir o significado de cada fruto do Espírito relacionado em Gálatas 5.22,23. Quando aprendemos o significado do amor, da alegria e da paz, vimos que essas qualidades encantadoras são cultivadas com muito sacrifício.

A seguir, enfrentamos o desafio de lidar com as pessoas da maneira que Deus deseja – e que Jesus exemplificou para nós –, recorrendo ao Espírito Santo para nos abastecer com Sua longanimidade, benignidade e bondade.

E, agora, devemos ter por objetivo disciplinar nosso "eu". Se você se assusta ao pensar na autodisciplina, saiba que é possível vencer esse desafio. Saiba que a esperança se encontra nos três últimos aspectos do fruto do Espírito que Deus nos concede quando caminhamos com Ele – fidelidade, mansidão e domínio próprio (Gl 5.22,23). Estas graças nos permitem triunfar sobre a fraqueza, a impetuosidade e a preguiça, assim como ajudam-nos a vencer a procrastinação, a teimosia e os desejos impuros. Portanto, seja perseverante! Talvez a estrada seja acidentada, mas a vitória por meio do Espírito de Deus nos aguarda no final da caminhada. Vamos começar com a fidelidade.

Princípios da Fidelidade

Como cristãs, é de suma importância para nós que a fidelidade de Deus faça parte de nosso caráter. Por quê? Porque a fidelidade marca a presença de Deus em nossa vida. Quando você e eu agimos com fidelidade, mostramos que somos nascidas de Deus e pertencemos a Ele. Quando caminhamos com

Completando a Carreira com Fidelidade

fidelidade, exibimos o caráter de nosso Salvador às outras pessoas. A fidelidade também é um fruto muito significativo. Alguém disse: "O derradeiro critério que Deus usará para nos julgar não será o sucesso, mas a fidelidade".[1] Jesus também mostrou a importância da fidelidade na parábola dos talentos (Mt 25.14-30). Usando essa história para ensinar o valor da obediência, Jesus elogiou aquele que é digno de confiança e o chamou de "servo bom e fiel" (vv. 21, 23). Toda mulher que caminha com Deus anseia ouvir essas palavras a seu respeito, principalmente quando proferidas por nosso Senhor!

Os princípios abaixo podem nos ajudar a compreender a fidelidade e a caminhar com muito mais fidelidade.

Princípio nº 1 – O Deus de fidelidade. Desde a primeira página da Bíblia até a última, vemos que Deus é fiel. Enquanto lia o Livro dos Salmos esta manhã, senti-me comovida mais uma vez com estas palavras: "[...] os meus lábios proclamarão a todas as gerações a tua fidelidade" (Sl 89.1). Moisés fez exatamente isto quando louvou a Deus, exultando: "Eis a Rocha! [...] Deus é fidelidade" (Dt 32.4). Um estudioso nos exorta, dizendo: "Deus é a Rocha... e deve haver algum fragmento da rocha em nós".[2]

A verdade a respeito da fidelidade de Deus, querida amiga, deve trazer conforto a nós duas. Quando fazemos uma pausa para refletir sobre a fidelidade de Deus, nossas almas sofredoras são abastecidas com a força que vem dele, e encontramos coragem para permanecer em Deus, a Rocha. Da mesma forma que Jeremias e seu povo fizeram, você e eu suportamos as provações quando confiamos na fidelidade de Deus (Lm 3.22,23).

O Novo Testamento nos mostra que Jesus também é fiel. Seu nome é "Fiel e Verdadeiro" (Ap 19.11). E como Jesus exibiu fidelidade? Sua suprema demonstração é esta: pelo fato de ter sido fiel, Jesus "a si mesmo se esvaziou, assumindo a

A Caminhada de Uma Mulher com Deus

forma de servo, tornando-se em semelhança de homens; e, reconhecido em figura humana, a si mesmo se humilhou, tornando-se obediente até à morte e morte de cruz" (Fp 2.7,8).[3]

E estas palavras sagradas me fazem indagar: estou cumprindo fielmente o propósito de Deus para minha vida, da mesma forma que meu Senhor fez? Estou servindo fielmente àqueles com quem convivo – meu marido, minhas filhas, minha igreja, meus colegas de trabalho? Estou caminhando com humildade perante Deus para que Ele possa me exaltar (1 Pe 5.6)? Estou disposta a seguir os passos de Jesus com fidelidade e obediência e fazer todo e qualquer sacrifício que a fidelidade exige – até a ponto de morrer? Quando penso nestas perguntas, posso apenas confiar que Deus conhece os desejos de meu débil e pobre coração!

Vimos que Deus é fiel e que Jesus é fiel. Sabemos também que a Palavra de Deus é fiel. O apóstolo João, quando já estava com idade avançada, foi instruído a escrever suas visões "porque estas palavras são fiéis e verdadeiras" (Ap 21.5). Somos pessoas verdadeiramente abençoadas porque podemos experimentar a fidelidade da Trindade e a fidelidade da Bíblia!

Princípio no 2 – O âmago da fidelidade. A fidelidade é definida como lealdade, credibilidade e tenacidade.[4] É uma característica de alguém que é digno de confiança[5] e aplica-se ao comportamento do cristão em relação às pessoas bem como em relação a Deus.[6] Nossa fidelidade a Deus e à Sua vontade, a Deus e à Sua Palavra, não exclui – mas inclui – lealdade aos outros.[7] A *Bíblia de Estudos Ryrie* complementa que fidelidade significa ser fiel não apenas em ações, mas também em palavras.[8]

O quê! É muita coisa para ser assimilada, não é mesmo? Mas esse fruto da fidelidade torna-se vital para nós quando vemos que Deus nos exorta, como mulheres, a sermos "fiéis em tudo" (1 Tm 3.11). Veja bem, a fidelidade é uma característica primordial das mulheres cristãs e uma qualidade que Deus usa em prol da igreja, o corpo de Cristo. Sei que nós duas tivemos experiências com pessoas que não conseguiram alcançar seus objetivos. Sabemos de antemão o que significa sofrer uma decepção ou ter de carregar agora toda a carga sozinhas, quando antes contávamos com alguém que nos abandonou. E... provavelmente, nós também já deixamos a fidelidade de lado algumas vezes. Ah, quem me dera ser mais semelhante a Jesus – fiel e verdadeira!

Princípio nº 3 – As marcas da fidelidade. O que a fidelidade faz? Como podemos observar a fidelidade em ação? Bem, se você estivesse observando uma mulher que caminha com Deus mediante Seu Espírito, veria as seguintes marcas:

- Ela é perseverante – em tudo o que faz.
- Ela cumpre com suas obrigações – em qualquer circunstância.
- Ela se dispõe a servir – seja entregando uma mensagem ou uma refeição.
- Ela comparece – antes do horário marcado para não preocupar os outros.
- Ela mantém a palavra – seu *sim* significa *sim*, e seu *não* significa *não* (Tg 5.12).
- Ela não falta aos compromissos assumidos – não os cancela.
- Ela sabe negociar com sucesso – cumpre à risca as instruções que recebe.
- Ela cumpre com seus deveres na igreja – e não negligencia o adorar a Deus.
- Ela empenha-se no que faz – seguindo o exemplo de Jesus quando Ele disse que veio ao mundo para cumprir a vontade do Pai (Jo 4.34).

A Caminhada de Uma Mulher com Deus

Agora, minha amiga... faça um rápido inventário de sua caminhada cristã. Permita que estas marcas ampliem seu conhecimento a respeito do fruto da fidelidade, um fruto tão necessário ao mundo de hoje! Em seguida, peça a Deus que lhe dê forças para trabalhar, sempre cultivando a fidelidade de nosso Pai celestial em sua vida.

Princípio nº 4 – Os opostos da fidelidade. Compreendemos melhor a fidelidade quando consideramos seus opostos. (Talvez você já tenha descoberto alguns em seu comportamento!) Um desses opostos é a *inconstância.* Todas nós conhecemos pessoas inconstantes – as que mudam de idéia, mudam seus princípios de lealdade, mudam os padrões de comportamento. Existe algo na natureza dessas pessoas que as torna instáveis, caprichosas e impulsivas. Para elas, nada parece ter valor. Nada parece ser importante. Nada parece merecer um comprometimento.

Outro ponto oposto da fidelidade é a *irresponsabilidade.* A pessoa irresponsável não termina uma tarefa, não é confiável, não pode incumbir-se de uma missão importante. Conforme se diz, você pode depender do Senhor – mas será que Ele pode depender de você?

Princípio nº 5 – A essência da fidelidade. Enquanto eu refletia sobre a fidelidade de Deus – as forças que existem no âmago da fidelidade, as marcas de uma pessoa piedosa e fiel e os opostos da fidelidade –, escolhi para mim este lema: *"Faça!"*, ou, conforme diz a propaganda de uma famosa marca de tênis, *"Simplesmente faça!".* Fidelidade significa *fazer...* não importa o quê, apenas fazer... independentemente de sentimentos, estados de humor ou desejos – se o Senhor assim quiser (Tg 4.15).

"Faça!" passou a ser meu grito de guerra quando luto diariamente contra minhas fraquezas. O cansaço lidera a lista...

Completando a Carreira com Fidelidade

seguido de perto pela preguiça. Mas quando digo *"faça!"* e recorro a Deus em busca de força e de um propósito para o que farei, Ele me concede a graça de vencer esses dois pontos fracos. Posteriormente, analisaremos um pouco mais os inimigos da fidelidade. Por ora, permita que o lema *"Faça!"* impulsione você para que aprimore ainda mais o fruto da fidelidade. Tente... durante uma hora, um dia, uma semana. Você se surpreenderá (e os outros também ficarão surpresos!), quando vir esse fruto robusto desenvolvendo-se em sua vida por meio da obra do Espírito fiel de Deus.

A Necessidade de Ser Fiel

Compreender a fidelidade é um bom começo, mas precisamos nos dar conta do quanto ela é necessária. Confesso que, ao ouvir o toque do despertador de manhã, sinto ansiedade ao pensar nas muitas tarefas que tenho pela frente, no sem-número de pessoas que devo atender e na variedade de funções que Deus pede que eu cumpra. Como mulheres, você e eu temos muitas – *muitas!* – responsabilidades dadas por Deus, as quais não conseguiremos realizá-las sem cultivar o fruto da fidelidade. Por exemplo, a principal responsabilidade das mulheres casadas é a de esposa. Devemos amar nossos maridos (Tt 2.4) e auxiliá-los (Gn 2.18), esforçando-nos para cumprir tudo o que essas duas instruções exigem – pelo resto da vida! E, se formos mães, devemos amar nossos filhos (Tt 2.4) e criá-los na disciplina e na admoestação do Senhor (Ef 6.4), de acordo com a Palavra de Deus.

E, quer sejamos casadas quer solteiras, sabemos que os deveres e as responsabilidades do lar exigem uma alta dose de fidelidade. As necessidades básicas e diárias para o bom andamento do lar requerem diligência e fidelidade! Aliás, um dos motivos que me levou a estudar "a mulher virtuosa" de Provérbios 31 (vv. 10-31) foi examinar de perto a mulher

A Caminhada de Uma Mulher com Deus

que cumpre seus deveres fielmente para ser uma sábia administradora do lar. Ela me inspira a cumprir meus deveres de dona-de-casa quando me mostra a lista de suas habilidades, assim como a atitude no momento de arregaçar as mangas para o trabalho.

Para administrar o lar, precisamos assumir a obrigação de administrar as finanças. Mais uma vez, Provérbios 31 descreve a perspicácia dessa mulher maravilhosa e sua habilidade para lidar com as finanças. Ela era uma verdadeira preciosidade no lar, uma vez que supervisionava tanto o orçamento da casa como as criadas que a servem. Ela ganhava, administrava, economizava e investia dinheiro, fazendo com que rendesse, além de dar parte dele aos pobres e necessitados. Essa mulher era a *despenseira* fiel e digna de confiança.

Como parte de meus deveres de administradora do lar, também cuido dos serviços burocráticos. Minha escrivaninha força-me a seguir meu lema *"Faça"*. Dou a isso o nome de "disciplina de serviços burocráticos" e permaneço ali durante muitas horas por dia. Talvez você não seja uma escritora como eu e não necessite passar tanto tempo diante de uma mesa de trabalho, mas a escrivaninha é o lugar onde examinamos as contas a ser pagas e escrevemos cartas; onde elaboramos listas do que devemos fazer, planejamos e programamos nossas atividades; e onde formulamos projetos que dão muitas alegrias tanto para nós como para os outros. Cheguei a rir alto quando li esta anedota extraída da vida de Winston Churchill: "Um escritor profissional [lhe] disse que só conseguia escrever quando estava 'disposto'. O grande estadista replicou: 'Não faça isso! Tranque-se em seu escritório das nove às treze horas e obrigue-se a escrever. Dê alguns cutucões em si mesmo! Dê alguns pontapés em si mesmo! Esse é o único jeito'."[9] É uma forma diferente de dizer: "Faça!", quando se trata de trabalhar em serviços burocráticos.

Completando a Carreira com Fidelidade

E há também nossa vida devocional. Sei que você e eu desejamos ter a marca do toque renovador de Deus em nossa vida, e que isso só é conseguido quando obedecemos fielmente a Sua Palavra no dia-a-dia. Assim como uma flor necessita de água para florescer, nós também necessitamos diariamente da água viva da Palavra de Deus.

Além do mais, Deus espera que Seus filhos sejam fiéis na igreja. Afinal, é na igreja que ministramos nossos dons espirituais para o bem do corpo de Cristo (1 Co 12.7). Servir a Deus exige fidelidade – a Ele e a Seu chamado para usar Seus dons e servir a Seu povo.

William Carey, pai das missões modernas, foi fiel em seu serviço a Deus, na Índia, por quarenta e um anos. Você quer saber o segredo dele? Quando alguém lhe perguntou qual era o motivo de seu sucesso como missionário, ele respondeu: "Sei trabalhar arduamente; sei perseverar até o fim. Devo tudo a essas duas coisas".[10] Imagine o impacto que você e eu poderíamos causar ao mundo de hoje se trabalhássemos arduamente e com perseverança!

A Luta para Ser Fiel

Depois de refletir sobre a necessidade de cultivar o fruto da fidelidade, elaborei uma lista do esforço que faço para ser fiel. Quando olho para a lista, vejo claramente que estou lutando contra a carne ("Porque a carne milita contra o Espírito, e o Espírito, contra a carne, porque são opostos entre si; para que não façais o que, porventura, seja do vosso querer" – Gl 5.17). A boa notícia é que, quando entregamos a carne aos cuidados de Deus e somos guiadas por Seu Espírito (Gl 5.18), podemos andar em fidelidade.

No entanto, caminhar na fidelidade de Deus é um processo de três passos. Primeiro, você e eu precisamos *desejar* ter uma vida piedosa que manifeste as graças do Espírito Santo.

A Caminhada de Uma Mulher com Deus

Segundo, precisamos *recorrer* a Deus: Seu poder que vem do alto está disponível a nós, e Ele nos concede esse poder gratuitamente. Terceiro, precisamos *seguir a* Palavra de Deus, avançando com determinação e confiança, recebendo o poder e a orientação de Deus. Esse processo de três passos pode nos ajudar todas as vezes que nos esforçamos para cultivar o fruto da fidelidade. Vejamos...

O *cansaço* lidera minha lista pessoal. Depois de conversar com muitas mulheres que passam por meu caminho, fiquei sabendo que elas também enfrentam essa luta. O cansaço diz: "Não consigo fazer isto". O cansaço resmunga: "Não consigo sair da cama... Não consigo me levantar para saber se o bebê está bem... Não consigo trabalhar na igreja... Não consigo fazer os serviços domésticos... Não consigo estudar... Estou exausta!". Achamos e sentimos, em nossa natureza humana, que não podemos fazer nada disso.

Mas, enquanto o cansaço diz: "Não consigo fazer isto", a Palavra de Deus diz: "Tudo posso naquele que me fortalece" (Fp 4.13). Veja bem, minha natureza humana e a Palavra de Deus estão em direções opostas! Conseqüentemente, necessito seguir o plano de três passos. O cansaço desaparece e a fidelidade assume seu lugar quando *desejo* ser fiel, quando *recorro* a Deus em busca da força que Ele prometeu (Fp 4.13) e quando me disponho a *seguir* Seu comando e faço o que tem de ser feito. O coração é *meu*, mas a força *de Deus* o transforma. A força é *de Deus*, mas *minha* vontade se submeterá a Ele. A vontade *de Deus* influencia minha *vontade*, e o fruto *de Deus* surge em minha vida.

A *preguiça* é outro obstáculo carnal que dificulta o desenvolvimento do fruto da fidelidade. O cansaço é uma luta física, ao passo que a preguiça é uma luta mental. A preguiça

Completando a Carreira com Fidelidade

diz: "Não quero fazer isto". A preguiça choraminga: "Não quero limpar a casa... Não quero cozinhar... Não quero envolver-me nesse ministério... Não quero disciplinar meus filhos... Não quero ir ao estudo bíblico... Simplesmente não quero fazer isto."

No entanto, enquanto a preguiça diz: "Não quero fazer isto", a Palavra de Deus exorta: "Pensai nas coisas lá do alto, não nas que são aqui da terra" (Cl 3.2). Deus nos mostra um caminho melhor e nos impulsiona a mudar o rumo quando diz que não devemos nos concentrar "nas coisas que se vêem, mas nas que se não vêem; porque as que se vêem são temporais, e as que se não vêem são eternas" (2 Co 4.18). Em outras palavras, precisamos desviar a atenção que dedicamos a nós mesmas e às pessoas que nos rodeiam ou ao evento que nos induz a dizer: "Eu não quero...", e olhar diretamente para o rosto de Jesus. Sinto-me verdadeiramente motivada a fazer alguma coisa – seja ela qual for – quando me lembro das palavras de Jesus: "...sempre que fizestes [uma destas coisas]... *a mim o fizestes*" (Mt 25.40, grifo da autora).

Podemos aprender uma preciosa lição com Edith Schaeffer, a fiel esposa do teólogo Francis Schaeffer. Veja o que ela pensa a respeito de servir aos outros. O trecho abaixo foi extraído de um capítulo intitulado "The Lost Art of Serving..." [A Arte Perdida de Servir...], que reflete a essência de Mateus 25.40 sobre servir a Jesus.

> Vocês gostariam de saber o que penso quando subo a escada levando chá para alguém, quando sirvo o café da manhã na cama, ou quando me lembro de ter feito esse tipo de trabalho durante anos para várias pessoas, inclusive meu marido e meus filhos? Como eu encaro isto? Se me considero uma mártir? Vou lhes contar exatamente o que penso.

A Caminhada de Uma Mulher com Deus

Antes de tudo, digo silenciosamente ao Senhor...: "Obrigada por existir esta maneira *prática* de *Te* servir chá [ou café da manhã na cama, ou outra coisa qualquer que eu esteja fazendo para alguém]. *Não* existe outra maneira de levar-Te alimento ou de fazer algo especial para Ti. Obrigada por deixares tão evidente que, quando fazemos coisas que se encaixam na essência do mandamento de servir aos outros, estamos verdadeiramente fazendo isso para Ti".[11]

É emocionante compreender que tudo o que você e eu fazemos não é feito unicamente para as pessoas envolvidas, mas para o nosso Salvador. Servir aos outros é uma forma fundamental de servir ao Senhor. Nossa principal motivação, conforme Colossenses 3.23 nos faz lembrar, é: "Tudo quanto fizerdes, fazei-o de todo o coração, *como para o Senhor*, e não para homens" (grifo da autora).

A *desesperança* aparece em letras garrafais em minha lista dos obstáculos carnais que dificultam o desenvolvimento do fruto da fidelidade. A desesperança diz: "Tudo o que eu faço *não resolve*". Quando era uma mãe inexperiente de duas meninas em idade pré-escolar, lutava contra esse sentimento. A necessidade de disciplinar e ensinar minhas filhas era tão constante, tão exaustiva, tão insistente, que o progresso era incrivelmente lento. Sentia-me tentada a concluir erroneamente que "tudo o que faço não resolve". Chego também a me sentir da mesma maneira quando me esforço para seguir o plano de Deus para minha vida como esposa. Às vezes, em minhas difíceis tentativas de seguir o plano de Deus, surge uma discussão, uma tensão ou mal-entendido, deixando transparecer que "tudo o que faço não resolve". Nesses momentos, sinto vontade de desistir

Completando a Carreira com Fidelidade

e perguntar: "Por que tentar?". O medo instala-se dentro de mim – medo de estar falhando com minhas filhas, de que elas não venham a ser o que desejo; medo de estar falhando no casamento, e este não estar glorificando a Deus como deveria. Mas (observe os três passos) meu *desejo* de *seguir* o plano de Deus leva-me a *recorrer* a meu Senhor, e Ele é sempre fiel para encorajar-me. "Não to mandei eu?", Ele me faz lembrar. "Sê forte e corajoso; não temas, nem te espantes" (Js 1.9). Sim, Deus é fiel – e Sua fidelidade é-me manifestada por intermédio dessas palavras que estão diante de mim todas as manhãs (Lm 3.23) e o dia todo!

A *procrastinação* mata definitivamente a fidelidade com a seguinte atitude: "Depois eu faço." A procrastinação proclama: "Depois preparo aquela aula... Depois termino (ou começo) aquele capítulo... Depois confiro o extrato bancário.... Depois chamo o encanador... faço depois." E o que penso que acontecerá depois? Será que a agitação da vida se acalmará, que alguns minutos mágicos surgirão mediante um milagre, que sentirei uma nova e repentina energia e me disporei a realizar a tarefa que deixei para depois?

Jim, meu marido, e eu costumamos procrastinar mais do que deveríamos! Um dia, ao receber um catálogo de livros cristãos pelo correio, sentei-me para analisá-lo (uma boa desculpa para adiar algumas tarefas mais importantes!). Entre os livros que estavam à venda havia um cujo título era algo parecido com *Aprenda a Vencer a Procrastinação em 30 Dias*. A propaganda exaltava a utilidade dos exercícios que deveriam ser feitos no período de um mês. Aquilo me empolgou! Ali estava a ajuda que necessitava! No entanto, em vez de *fazer já*, peguei um cartão e anotei o título do livro e o nome da editora para que Jim o adquirisse na livraria de nossa igreja. Bem, Jim procrastinou tanto que, meio ano depois, quando

A Caminhada de Uma Mulher com Deus

decidiu efetuar a compra, a publicação do livro havia sido descontinuada – graças a milhares de outros procrastinadores que também adiaram o momento de comprá-lo! Ah, como é grande a necessidade que temos da fidelidade de nosso Senhor! Mas, se seguirmos os três passos da fidelidade, poderemos dominar a atitude de "Depois eu faço" e andar na fidelidade de Deus. Ore para ter um *desejo* maior de cultivar esse fruto firme e sólido. Erga os olhos e *recorra* a Deus em busca de ajuda. A seguir, *siga* Sua Palavra que sabiamente nos exorta: "Tudo quanto te vier à mão para fazer, faze-o conforme as tuas forças" (Ec 9.10). *Faça...* simplesmente faça... e faça agora!

A *justificação* é uma perspectiva perniciosa – porém sutil – da vida, do ministério que exercemos e da responsabilidade. A justificação diz: "Alguém fará isto". A justificação calcula: "Alguém marcará a reunião... Alguém fará o comunicado... Alguém conduzirá a discussão... Alguém fará isto". A mulher piedosa fiel é fiel "em *tudo*" (1 Tm 3.11, grifo da autora), o tempo todo e em qualquer circunstância. Ela é fiel como serva na igreja, como participante de um grupo ou como líder. Ela é fiel como esposa e mãe e reage de maneira positiva, entusiasmada e enérgica em relação aos trabalhos designados por Deus. Ela é fiel quando divide um quarto com alguém, sempre disposta a fazer sua parte nas tarefas. Ela é fiel no trabalho e cumpre com suas obrigações.

A mulher fiel vence com sucesso os pensamentos infrutíferos que geram o seguinte tipo de justificação: "Alguém fará isto". Vence como? *Desejando* desenvolver o fruto da fidelidade, *recorrendo* ao Espírito de Deus para que Ele a supra com Sua fidelidade nos momentos de fraqueza e *seguindo* o chamado de Deus para ser fiel em Cristo Jesus (Ef 1.1), e fiel até a morte (Ap 2.10). Livro-me da justificação de uma forma muito simples: tento ser fiel apenas por um dia. Meu objetivo de cada dia é ser capaz de pousar a cabeça no travesseiro, à noite, e agradecer a Deus porque Ele me ajudou a ser fiel nas tarefas que me deu – hoje! Tente fazer esse exercício. Apenas hoje, seja qual for a responsabilidade que lhe vier às mãos, *faça-a*. Trata-se de um método elementar, porém muito prático, para desenvolver uma vida piedosa.

A *apatia* também interfere no caminho da fidelidade. A apatia diz: "Não faz diferença fazer isso ou não". A apatia encolhe os ombros: "Não ligo se os pratos estão lavados... Não ligo se sou boa mãe ou boa esposa... Não ligo se leio a Bíblia... Não ligo se estou crescendo espiritualmente... Não ligo se sou fiel.... Não ligo para o que eu faço." A apatia é um torpor espiritual que se desenvolve aos poucos e corrói o bem que Deus deseja para nossa vida e o bem que Ele deseja que façamos em prol Dele e de Seu Reino. Há esperança, porém, para esse terrível mal quando você e eu desviamos os olhos de nós e *recorremos* a nosso Pai e ao propósito que Ele tem para nossa vida, quando nosso *desejo* é elevado em direção ao céu, e não conduzido para dentro de nós, e quando *seguimos* os passos de Jesus, nosso Salvador que "não veio para ser servido, mas para servir e dar a sua vida em resgate por muitos" (Mc 10.45) – inclusive por você e por mim.

Se você, querida amiga, está sofrendo os efeitos prejudiciais da apatia, que tal injetar um pouco de ânimo em seu coração? Faça o que tiver de ser feito! Comece lembrando-se de que a fidelidade de Jesus a levou a ser salva. Sua fidelidade ao morrer na cruz concedeu vida eterna a você. Peça a Jesus que a ajude a ser mais semelhante a Ele e que a ajude a cultivar sua fidelidade.

A *rebeldia* é a atitude que mais me assusta. A rebeldia diz: "Não farei isto". A rebeldia declara com obstinação: "Não farei o que a Bíblia diz... Não lavarei roupas... Não farei o que

A Caminhada de Uma Mulher com Deus

meu marido pede... Não farei o que o conselheiro disse... Não farei isto". A rebeldia é um endurecimento de conduta que devemos temer porque, conforme a Bíblia ensina: "O homem que muitas vezes repreendido endurece a cerviz [o pescoço] será quebrantado de repente sem que haja cura" (Pv 29.1). Não existe pior atitude do que a rebeldia – seja ela clamorosa, seja ela evidenciada, seja ela declarada abertamente, seja ela silenciosa, aquela que muda o rumo da vida à sua maneira.

Faça uma pausa neste momento e examine seu coração. Existe alguma parte da Palavra de Deus à qual você necessita dar mais atenção? Existe algum compartimento secreto em sua alma que não está obedecendo aos mandamentos de Deus? Existe algum conselho divino que você está deixando de seguir? Peço-lhe que *recorra* ao Senhor, suplicando a Ele que lhe conceda o *desejo* de ser fiel à Sua Palavra e, depois, *siga* Seu caminho de obediência. Ore repetindo as palavras de Davi: "Sonda-me, ó Deus, e conhece o meu coração, prova-me e conhece os meus pensamentos; vê se há em mim algum caminho mau" (Sl 139.23,24).

Você gostaria de saber onde encontrar a força necessária para toda essa fidelidade? Onde encontrar o desejo de possuí-la? Onde encontrar a ajuda de que tanto necessita? Nosso Deus grandioso proporcionou, mediante Sua graça, tudo o que necessitamos para desenvolver o fruto da fidelidade. Ele deseja que façamos o que Davi, o pastor e rei de Israel, fez quando "se reanimou no SENHOR seu Deus" (1 Sm 30.6). Davi declarou repetidas vezes: "O SENHOR é a fortaleza da minha vida" (Sl 27.1).

Que Deus permita que você e eu, quando estivermos muito cansadas, muito preguiçosas, muito negligentes, muito enfermas ou sentindo pena de nós mesmas, possamos recorrer a Ele. Na verdade, é exatamente nesses momentos

Completando a Carreira com Fidelidade

que precisamos invocar a Deus e nos abastecer com Sua fidelidade. Podemos recorrer a Ele e pedir que nos abasteça com Sua força. Podemos encontrar em Deus a força (força *Dele*), a visão (visão *Dele*), e, por conseguinte, a fidelidade (fidelidade *Dele*). Certamente, Ele está aguardando para nos conceder Sua fidelidade.

Mulheres que Foram Fiéis a Jesus

Uma grande fonte de encorajamento para sermos fiéis é encontrada na fidelidade extraordinária das mulheres diante do túmulo. Essas queridas mulheres atenderam às necessidades do Salvador com fidelidade, servindo-o e sustentando financeiramente Seu ministério (Lc 8.3). No entanto, o principal ato heróico de fidelidade começou quando elas acompanharam Jesus em Sua última caminhada da Galiléia até Jerusalém – em Sua caminhada até a cruz. Essa caminhada levou esse grupo leal de mulheres a permanecer, o tempo todo, com Jesus no dia de Sua crucificação e morte.

Sempre admirei essas mulheres. Imagine como foi o último dia da vida de Jesus, aquele dia terrível em que as mulheres passaram ao pé da cruz! As trevas (Lc 23.44), a agonia de Jesus, a zombaria e o menosprezo da multidão, a brutalidade com que Ele foi açoitado, coroado com espinhos, pregado na cruz e ferido de lado com uma lança (Jo 19.34), assim como o terremoto (Mt 27.51) – tudo isso parece ser demais para uma pessoa suportar!

Bem, sabemos que os discípulos não conseguiram agüentar! Eles já haviam negado o Salvador e fugido (Mc 14.50). Mas, agindo com fidelidade, aquele grupo de mulheres piedosas e enlutadas permaneceu o mais perto possível de Jesus para confortá-Lo com sua presença no momento da agonia da crucificação (Lc 23.49). Se eu fosse uma daquelas mulheres, depois de presenciar tantos eventos horripilantes, quando voltasse para

A Caminhada de Uma Mulher com Deus

casa, provavelmente, teria ingerido três aspirinas e ido direto para a cama.

Mas aquelas mulheres fiéis não fizeram isso. Permaneceram até o fim – um fim amargo, terrível e horripilante! Lucas relata: "E as mulheres que o tinham seguido desde a Galiléia permaneceram a contemplar de longe estas coisas" (Lc 23.49). E a fidelidade dessas mulheres não terminou com a morte de Jesus. Elas aguardaram diante da cruz para ver o que seria feito com o corpo do Salvador. Depois, acompanharam-No para ver o túmulo e como o corpo foi ali depositado (v. 55). Certamente, após um longo e terrível dia, as mulheres voltaram para casa a fim de realizar mais dois atos de fidelidade. Primeiro, prepararam aromas e bálsamos para ungir corretamente o corpo de Jesus (v. 56). (De acordo com a lei sabática dos judeus, esses preparativos tinham de ser terminados antes do pôr-do-sol!). Em seguida, essas mulheres puseram a fidelidade em prática de outra maneira: "E, no sábado, descansaram, segundo o mandamento" (v. 56). Elas foram fiéis a Jesus e foram fiéis a Deus e à Sua santa Lei.

Contudo, ainda não vimos o final da fidelidade das mulheres. Leia o relato feito por Marcos:

> Passado o sábado, Maria Madalena, Maria, mãe de Tiago, e Salomé compraram aromas para irem embalsamá-lo. E, muito cedo, no primeiro dia da semana, ao despontar do sol, foram ao túmulo. Diziam umas às outras: Quem nos removerá a pedra da entrada do túmulo? (Mc 16.1-3).

Você percebeu as marcas de fidelidade nessas mulheres, querida leitora? A lista é extensa. Jesus, a quem elas amavam, estava morto, porém jamais esquecido, porque elas Lhe foram amigas fiéis – fiéis até o último suspiro do Mestre... e depois também. Elas prepararam antecipadamente os elementos da unção (não adiaram a tarefa). Levantaram-se bem cedo (não permaneceram na cama em razão de preguiça, depressão ou exaustão). Dirigiram-se ao túmulo, mesmo sabendo que havia uma pedra imensa e intransponível na entrada (sem justificações, sem desculpas). Enquanto seguiam para lá, elas não sabiam como conseguiriam ter acesso ao corpo de Jesus, mas não permitiram que esse pensamento fosse um obstáculo que as deteria. Dirigiram-se ao túmulo sem pensar nos problemas. Não desistiram. Chegaram lá. E chegaram bem cedo. Naquela manhã depois do sábado, as mulheres partiram para a ação. Elas "mergulharam com o Senhor nas sombras"[12], por assim dizer. O amigo delas ainda necessitava de ser assistido, mesmo depois de morto.

Sempre que me sinto exausta, sem forças e tentada a desistir ou aguardar até amanhã, penso nessas magníficas mulheres. O amor que elas dedicaram a Deus ultrapassou os problemas físicos e emocionais e as capacitou a fazer fielmente o que era certo. *Nada* as impediu de cumprir o que elas consideravam um dever de fidelidade para com um amigo.

Caminhando com Fidelidade

Espero que, após esses exemplos convincentes de fidelidade – e de um grupo de mulheres que são como você e eu! –, nós duas também sintamos a necessidade de fazer uma pausa... e refletir. *Precisamos* reagir! *Precisamos* perguntar: como podemos ser mais fiéis? Como caminhar também em Sua graça? O que pode nos ajudar a cultivar a fidelidade de Deus em nossa vida?

A Palavra de Deus vem em nosso socorro com algumas sugestões práticas.

A Caminhada de Uma Mulher com Deus

⊚ Clame a Deus em oração. "No dia em que eu clamei, tu me acudiste e alentaste a força de minha alma" (Sl 138.3).

⊚ Seja fiel nas pequenas coisas. "Quem é fiel no pouco também é fiel no muito; e quem é injusto no pouco também é injusto no muito" (Lc 16.10).

⊚ Confie na força de Deus. "Tudo posso naquele que me fortalece" (Fp 4.13).

⊚ Lute contra o comodismo. "Mas esmurro o meu corpo e o reduzo à escravidão" (1 Co 9.27).

⊚ Livre-se da preguiça e da indolência. "[Ela] não come o pão da preguiça" (Pv 31.27).

⊚ Comece em casa. "[Ela] atende ao bom andamento da sua casa" (Pv 31.27).

⊚ Seja fiel em todas as coisas. "Da mesma sorte, quanto a mulheres, é necessário que sejam [...] fiéis em tudo" (1 Tm 3.11).

⊚ Seja uma "heroína". Encerro este capítulo orando para que a definição de "herói", apresentada a seguir, lhe sirva de incentivo para que sinta um maior desejo de cultivar o fruto da fidelidade, conforme ocorreu comigo.

O Herói

O herói não tem em mente ser herói. Provavelmente, ele se surpreende mais do que os outros ao ser reconhecido como tal. Ele estava presente

Completando a Carreira com Fidelidade

no momento em que o problema aconteceu...
e reagiu como sempre fez em qualquer situação. Estava simplesmente fazendo o que tinha
de ser feito! Fiel ao dever que deveria cumprir
ali... ele estava preparado quando o problema
surgiu. Estava no lugar em que deveria estar...
fazendo o que deveria fazer... reagindo como de
costume... às circunstâncias à medida que elas
surgiam... dedicado ao dever – ele praticou um
ato heróico![13]

Capítulo 11

Adquirindo Força por Meio da Mansidão

> [...] o fruto do Espírito é [...] mansidão.
> Gálatas 5.22,23

Dentre todas as flores ao longo do caminho que trilhamos com Deus, a flor da mansidão parece ser muito frágil, mas, conforme veremos em breve, ela brota de um estupendo conjunto de raízes, as mais fortes de todas. Antes de começar a dar aulas sobre o fruto do Espírito, meditei sobre a mansidão por um ano – e aquele ano inteiro foi dedicado a cultivar a mansidão em minha vida. Depois, enquanto escrevia este livro e continuava meus estudos, Deus me concedeu mais um ano para meditar sobre a mansidão.

Venha comigo e descubra como germina a flor da mansidão.

O Significado de Mansidão

Conforme você já sabe, nesta parte do livro estamos analisando as três graças que nos exortam a disciplinar nossa

A Caminhada de Uma Mulher com Deus

conduta para ter uma vida piedosa. Aprendemos no capítulo anterior que a fidelidade de Deus é cultivada em nós quando pomos em prática o lema "faça" – quando fazemos qualquer coisa que esteja diante de nós e que necessite ser feita. E descobrimos também que dependemos grandemente da força de Deus e que devemos mergulhar em nosso âmago para conseguir fazer o enorme esforço de terminar a tarefa que temos à frente, realizá-la com êxito e nos tornar pessoas dignas de mais confiança. Agora que passamos a estudar a mansidão, aprenderemos rapidamente que também dependemos de Deus para cultivar esse fruto.

Mansidão significa ser dócil ou meigo, ser modesto ou humilde.[1] É uma forma de domínio próprio que somente Cristo pode conceder[2] e que se manifesta em forma de um espírito submisso tanto a Deus como aos homens.[3] Mansidão também é o oposto da autoconfiança arrogante.[4] E, conforme você constatará, a mansidão é cultivada em uma estufa – e o preço para cultivar essa flor é alto!

Por que o preço da mansidão é alto?

1. *Mansidão significa confiar no Senhor* – Da mesma forma que confiamos no Senhor para desenvolver cada fruto do Espírito, também devemos confiar Nele para cultivar a mansidão. Em Mateus 5.5, Jesus diz: "Bem-aventurados os mansos, porque herdarão a terra". William Hendriksen disse o seguinte a respeito das palavras de Jesus:

> "Manso" [ou dócil] descreve a pessoa que não é rancorosa. Ela não guarda ressentimentos. Em vez de remoer as ofensas recebidas, ela encontra refúgio no Senhor e entrega-se inteiramente a Ele... Ela aprendeu a aceitar com alegria o espólio de seus bens, pois tem consciência de possuir

Adquirindo Força por Meio da Mansidão

patrimônio superior e durável (Hb 10.34). Contudo, *mansidão não significa fraqueza...* Significa ser submisso sob provocação, estar disposto a *sofrer* ofensas em vez de *infligir* ofensas. A pessoa mansa [ou dócil] deixa tudo nas mãos Daquele que a ama e cuida dela.[5]

Em primeiro lugar, é importante notar tudo aquilo que mansidão não significa: mansidão *não* significa rancor, mansidão *não* guarda ressentimentos e *não* se preocupa em remoer ofensas. E então, o que a mansidão faz? Ela encontra refúgio no Senhor e em Seus caminhos. Suporta ser espoliada por alguém, suporta provocações e, em seu sofrimento, submete-se com humildade a nosso Pai onisciente e zeloso, confiando plenamente no amor de Deus.

Uma pergunta, porém, surge instantaneamente: como é possível suportar ser espoliado por alguém, suportar provocações, sofrimentos e maus tratos? Para mim, a resposta resume-se a uma só palavra: fé. O conjunto invisível de raízes da mansidão penetra fundo no solo fértil da fé. A fé acredita que tudo o que acontece em nossa vida é permitido por Deus, e que Ele é capaz de nos ajudar a lidar com as situações com as quais nos deparamos. Nossa fé no Deus que existe por trás dessa verdade nos impede de lutar e de espernear, porque a fé acredita que Deus lutará *por* nós (Sl 60.12).

Você entende, agora, por que me esforcei para cultivar esse fruto durante dois anos? Tenho a sensação de que continuarei a lutar por mais tempo ainda!

E quanto a você, querida companheira de jornada? Será que sua vida exibe o fruto da mansidão? Que circunstância a impede de submeter-se a Deus e permitir que Ele controle sua vida? Você acha que a docilidade de Deus significa fraqueza? Costuma guardar ressentimentos, planejar uma desforra ou pensar em vingança? Ou é capaz de levar a ofensa recebida

A Caminhada de Uma Mulher com Deus

ao Deus de sabedoria que usa o sofrimento em sua vida para que você possa ostentar, de maneira poderosa, a marca de Seu Espírito? Neste instante, sussurre uma oração comigo e peça a bênção de Deus para suportar qualquer turbulência da vida com a ajuda de Seu Espírito de mansidão, confiando plenamente Nele.

2. *Mansidão significa submeter-se ao Mestre* – O comentarista William Barclay apresenta uma outra explicação para mansidão quando explica: "O mais esclarecedor de tudo sobre [o significado de mansidão] é que o adjetivo... é empregado para um animal que foi domesticado e controlado".[6] Esta definição, acompanhada do fato de que a mansidão é altamente apreciada por Deus nas mulheres que O amam (1 Pe 3.4), forçou-me a dar continuidade à minha busca, o que acabou por revelar-me alguns conceitos surpreendentes.

- A palavra *domesticada*, o antônimo de selvagem, descreve uma pessoa acostumada a ser controlada por outra.

- A palavra *domesticada* sugere uma pessoa que foi dominada ou que permitiu ser dominada pela vontade de outra.

- Portanto, a pessoa domesticada...
  Torna-se complacente e demonstra completa dependência de outra.

  Submete-se inteiramente ao controle de outra.
  Obedece humildemente as ordens recebidas, sem questioná-las, e aceita o que lhe é oferecido.

  É dócil, obediente e maleável, avessa a grosserias.

  É fácil trabalhar e conviver com ela.[7]

Talvez você (da mesma forma que eu) não tenha certeza se gosta do que está lendo ou do que estas palavras significam!

Essa explicação, porém, nos ajuda a pensar na mansidão em termos de submissão a nosso Mestre, o Senhor Jesus. Você não gostaria de ser controlada por Ele? Não sente um verdadeiro anseio de que Ele tome conta de toda a sua vida, que a conduza e a oriente, que a proteja e lhe dê assistência à medida que você caminha com Ele pela fé, sem questionar? Não gostaria de ser uma pessoa de fácil convivência? Um crente fez a seguinte observação: "A humildade [ou mansidão] torna-se muito desejável graças à maravilha que ela opera dentro de nós: ela cria em nós a capacidade para uma íntima comunhão com Deus".[8] Pertencer inteiramente ao Mestre, desejar fazer somente a Sua vontade, depender completamente Dele e submeter-se humildemente a Ele e a Seus caminhos nos levam a ter uma grande comunhão com Deus.

Dê um enorme suspiro de *alívio* e entregue a Deus a parte de sua vida que ainda não lhe foi entregue. Agradeça – a seu Mestre e ao Jardineiro Mestre – porque Ele é capaz de cuidar dessa parte de sua vida. Permita-se sentir a alegria de ser dominada pelo Mestre.

3. *Mansidão significa seguir o exemplo de Cristo* – Tenho uma verdadeira confissão a fazer: à medida que a definição de mansidão se tornava mais clara... e mais difícil de ser posta em prática, uma sensação de desesperança foi tomando conta de mim. Quando, porém, li na Palavra de Deus que Jesus foi manso, o significado de mansidão tornou-se mais claro ainda.

Nosso Senhor, o Rei dos reis e Senhor dos senhores, seguiu para Jerusalém pela última vez montado em um jumentinho (Mt 21.7), para que fosse cumprida a profecia

A Caminhada de Uma Mulher com Deus

de Zacarias 9.9 que dizia: "Eis aí te vem o teu Rei, *humilde*, montado em jumento, num jumentinho, cria de animal de carga" (Mt 21.5, grifo da autora). Jesus não veio como um conquistador violento, nem como um rei guerreador, mas como o Rei que é dócil, manso, pacificador e bondoso.[9]

Veja como Jesus descreve a si mesmo em outra passagem de Mateus: "Tomai sobre vós o meu jugo e aprendei de mim, porque sou *manso* e humilde de coração (11.29, grifo da autora). Minha querida irmã, nós seguimos o exemplo de mansidão de Jesus quando, à semelhança Dele, encontramos refúgio em Deus e entregamos nosso caminho a Ele. A mansidão de Jesus estava alicerçada em uma completa confiança em Seu Pai amoroso. E nós devemos cultivar a mansidão seguindo o exemplo de Jesus.

4. *Mansidão significa curvar a alma* – Encontrei, também, uma palavra encantadora que me ajudou a compreender a mansidão. O vocábulo empregado no Antigo Testamento para mansidão, *anah*[10], descreve um feixe de grãos perfeitamente desenvolvidos e maduros, cuja extremidade superior se dobra e fica curvada. Pense por alguns instantes na beleza dessa ilustração. À medida que o trigo cresce, os brotos mais novos destacam-se dos demais e vão despontando e crescendo para cima, porque os grãos ainda não se formaram. Seu pequenino fruto, se houver um, começa a surgir, mas ainda não amadureceu. À medida que o tempo passa e vai chegando a época do amadurecimento, o fruto desabrocha – em quantidade tão grande que o caule começa a dobrar-se, e a extremidade vai se curvando cada vez mais em razão do peso do fruto.

Ah, como eu gostaria de ser uma cristã desse tipo – uma cristã com a cabeça abaixada, perfeitamente desenvolvida e madura, tendo deixado para trás os estágios da arrogância, do orgulho e da vaidade. Como adoraria prostrar minha alma diante do Senhor e curvar-me humildemente perante o meu Deus!

5. *Mansidão significa ·revestir-se de um espírito manso* – O uso dessa graciosa vestimenta exige decisão de nossa parte. Conforme mencionei antes, Deus ama a virtude de mansidão em Suas mulheres. Preste atenção a esses "elementos" extraídos de 1 Pedro 3.1-6:

O versículo 1 fala do *elemento da submissão*: "Mulheres, sede vós, igualmente, submissas a vossos próprios maridos". Embora este versículo focalize a submissão no casamento, a exortação aparece em uma longa passagem sobre todos os tipos de submissão. Os cristãos devem ser submissos, por amor ao Senhor, a todas as instituições humanas governamentais (2.13); os servos devem ser respeitosamente submissos a seus patrões (2.18); Cristo submeteu-se a seus algozes, sem dizer nada (2.21-25); e as esposas devem receber orientação para submeterem-se a seus maridos (3.1).

Os versículos 1a-2 indicam o *elemento do comportamento*, sugerindo que o marido "seja ganho, sem palavra alguma, por meio do procedimento de sua esposa, ao observar o [...] honesto comportamento cheio de temor [de sua esposa]." Como deve ser um comportamento manso? Pedro diz que é um comportamento temente a Deus e sem mácula. É um comportamento que se recusa a brigar e a irar-se, que se recusa a ter pensamentos de violência e vingança e que se recusa a impor-se. Minha querida, só podemos viver dessa maneira quando descansamos na soberania de Deus e temos a certeza de que Ele controla toda e qualquer circunstância de nossa vida.

A Caminhada de Uma Mulher com Deus

Os versículos 3-4 abordam o *elemento do coração*: "Não seja o adorno da esposa o que é exterior, como frisado de cabelos, adereços de ouro, aparato de vestuário; seja, porém, o homem interior do coração, unido ao incorruptível de um espírito manso e tranqüilo, que é de grande valor diante de Deus". Pedro diz que você e eu devemos nos preocupar com nossa condição interior, a condição de nosso coração, em vez de vivermos obcecadas com a aparência exterior. A expressão "interior do coração" refere-se à personalidade da mulher cristã, que se torna bela mediante o ministério do Espírito Santo, ao glorificar ao Senhor Jesus e ao manifestá-Lo na vida dela e por meio dela.[11]

E esse coração, Pedro escreve, deve refletir um espírito manso e tranqüilo. "Manso" (que é a mesma palavra grega usada na lista dos frutos do Espírito) refere-se à cooperação dócil e bondosa, e "tranqüilo" refere-se à aceitação da vida em geral.[12] Em outras palavras, "manso" significa não criar transtornos, e "tranqüilo" significa suportar com serenidade os transtornos causados pelos outros.[13] Preciso dizer que, desde que descobri estas definições elementares, tenho orado muito, pedindo força diária a Deus, força esta que é necessária para não criar transtornos e não reagir diante de qualquer transtorno criado por outras pessoas.

O versículo 5 nos instrui acerca do *elemento da confiança*: "Pois foi assim também que a si mesmas se ataviaram, outrora, as santas mulheres que esperavam em Deus, estando submissas a seu próprio marido". Repetindo, só podemos caminhar desta maneira mediante a fé – aquela confiança que busca esperança em Deus e é direcionada para Ele e repousa Nele.[14]

O versículo 6 termina com o *elemento da fé*: "Como fazia Sara, que obedeceu a Abraão, chamando-lhe senhor, da qual vós vos tornastes filhas, praticando o bem e não temendo perturbação alguma". Você e eu pomos a fé em prática quando aceitamos docilmente as situações de nossa vida que contribuem para um espírito manso e tranqüilo.

Como servas de Deus, devemos nos revestir de todos esses elementos da mansidão (submissão, comportamento, coração, confiança e fé) da mesma forma que nos enfeitamos com roupas todos os dias. Da mesma forma que, todas as manhãs, abrimos o armário para escolher uma roupa apropriada, devemos recorrer a Deus e nos revestir de um espírito manso e tranqüilo, algo raro e precioso e cujo preço é incalculável.

6. *Mansidão significa "aceitar"* – Defino a mulher que põe em prática a mansidão ou a docilidade como aquela que *aceita*. E o que ela aceita? Aceita com tranqüilidade os transtornos criados por outras pessoas. Suporta tratamentos ofensivos. Tolera mal-entendidos. Ela, graças ao fato de carregar na mente e no coração a imagem de Jesus e de Seu sofrimento, aceita tudo e, por conseguinte, cultiva o fruto da mansidão de Deus.

Sei que isto é difícil de engolir e que existem exceções óbvias e morais. E, evidentemente, devemos pedir sabedoria a Deus (Tg 1.5). Contudo, querida leitora, você necessita abrir o coração e a mente para a beleza deste fruto. Deus deseja que a mansidão seja uma característica em nossa vida! Preste atenção aos conceitos de Andrew Murray sobre mansidão e o significado de aceitar:

> [Mansidão] é a perfeita tranqüilidade de coração. Para mim, é não ter aborrecimentos; nunca me sentir atormentado, agitado, irritado, magoado ou desapontado. É não esperar nada, não questionar o que me fazem, não sentir o que é feito

A Caminhada de Uma Mulher com Deus

contra mim. É estar bem quando ninguém me elogia e quando sou acusado de alguma coisa ou menosprezado... É o fruto da obra redentora do Senhor Jesus Cristo na cruz do Calvário, manifestada em Seus filhos que se submetem inteiramente ao Espírito Santo.[15]

Outro crente escreveu estas palavras sobre a força que vem da mansidão:

[Mansidão] diz respeito... antes de tudo e principalmente a Deus. É aquela disposição de espírito na qual aceitamos o que vem [de Deus] como sendo bom para nós, sem contestar ou resistir... [É um coração humilde] que... não luta contra Deus e... não guerreia nem discute com Ele. No entanto, essa humildade, pelo fato de ser, antes de tudo, uma humildade perante Deus, também é demonstrada diante dos homens, até mesmo dos homens maus, porque eles [os homens maus], com os insultos e ofensas que nos infligem, são autorizados e usados pelo Senhor.[16]

Sim, é verdade que, aos olhos do mundo, a mansidão pode ser confundida com fraqueza, mas para produzir esse fruto necessitamos de muita força! Aliás, a mansidão é também chamada de "fruto do poder"[17]. Foi por isso que dei a este capítulo o nome de "Adquirindo força por meio da mansidão".

A Postura da Mansidão

Aqui está outra ilustração que pode nos ajudar: um dia, enquanto eu estudava Provérbios 3.5 – "Confia no Senhor de todo o teu coração e não te estribes no teu próprio entendimento"–, vislumbrei uma nova maneira de cultivar a mansidão e a humildade. A palavra hebraica para "confiança", originariamente, expressava a idéia de deitar-se com o rosto para baixo, em completa submissão.[18] No entanto, para se pôr em prática essa postura de confiança é necessário ter plena segurança em Jeová. Há necessidade de uma confiança absoluta de que somente Deus conhece o caminho certo para aquilo que é certo e que nos traz benefícios. A confiança também é acompanhada da certeza de que Deus é capaz de libertar-nos daquilo que nos prejudica. Portanto, essa confiança – esse ato de ter plena segurança em Deus – é a fonte da mansidão ou humildade. Descobrimos que podemos nos deitar com o rosto para baixo, em completa submissão, apenas porque confiamos na sabedoria de Deus *e* em Sua capacidade de nos proteger e nos defender.

Essa ilustração sobre a confiança revela claramente que mansidão é o oposto do que grande parte do mundo exalta. Mansidão é o oposto de altivez e interesse próprio. É o oposto de violência e explosões de raiva. É a evidência de Deus trabalhando em nossa vida.

E há mais uma coisa para ajudar nossa postura: a mansidão não é apenas exteriorizada em relação às pessoas. Tampouco, é uma disposição natural. E não é aquilo que alguns resolveram chamar de "um temperamento fleumático". Não... a mansidão (da mesma forma que todos os frutos do Espírito) tem a ver com nosso relacionamento com Deus e é, basicamente, uma submissão à vontade de Deus. Conforme já aprendemos, a fidelidade faz, mas a mansidão *aceita*. E aceitamos aquilo que vem das mãos de outros, porque conhecemos a soberania de Deus e sabemos que Sua santa mão repousa sobre nossa vida, e Ele jamais a retirará!

Reflita, também, sobre as condições da estufa onde se desenvolve a mansidão de Deus. A mansidão é exigida quando algo errado é infligido a nós e quando estamos sofrendo um tratamento inadequado. E o que a mansidão faz nessas condições? Ela se deita com o rosto para baixo, em completa submissão. Ela dobra-se, curva-se, abaixa a cabeça diante do Pai. Ela se rende, aceita e se humilha sob a mão poderosa de Deus: a mansidão *aceita* os fatos.

A mansidão realiza tudo isso sem lutar. E você e eu damos um passo gigantesco para cultivar a mansidão em nossa vida, quando decidimos não lutar nem discutir com Deus, assim como decidimos não resistir ao que Ele está fazendo em nossa vida. Devemos desistir de contender, reclamar, murmurar e resmungar. Afinal, por que fazer estas coisas se Deus está no controle e permite essas provações em nossa vida?

Você conhece bem o Salmo 46.10? Muitas de nós conhecemos este versículo: "Aquietai-vos e sabei que eu sou Deus". Mas você sabia que a palavra hebraica para "aquietar" significa "parar de lutar"? Um estudioso traduziu assim esta repreensão: "Calma!... Basta!".[19] Em essência, Deus está nos dizendo: "Pare! Pare com toda esta atitude belicosa[20], porque eu, Deus, é que estou fazendo isto!". Devemos parar de espernear, parar de lutar e simplesmente aceitar – seja o que for –, porque tudo está nas mãos de nosso Deus soberano e amoroso. E somos verdadeiramente fortalecidas por meio da mansidão, quando pomos em prática essa postura de ter um coração que confia em Deus e em Sua sabedoria, misericórdia e proteção.

Demonstrações de Mansidão

Estas verdades são profundas e nos levam a pensar muito, não é mesmo, minha amiga? Mas você não está feliz pelo fato de Deus nos fornecer exemplos de outras mulheres que cultivaram o fruto da mansidão e se fortaleceram Nele? Vamos dar uma rápida olhada em alguns desses exemplos:

Já conhecemos *Ana*. Ela se considerava uma vítima diária da outra esposa de seu marido, que a provocava ano após ano por ela não ter filhos (1Sm 1.6,7). Você pode imaginar-se em uma situação em que é atormentada, propositadamente, por outra pessoa, dia após dia, ano após ano? Como você reagiria? Como agiria? E o que faria?

Ana nos mostra a reação de mansidão. Em seu intenso sofrimento, ela orou ao Senhor (v. 10). Em vez de partir para uma batalha verbal, ou sucumbir a mexericos e intrigas, ou ainda planejar uma desforra, Ana optou por assimilar as injúrias e recorrer ao Senhor. E quem lhe deu forças para fazer isto? O Deus em quem ela confiava. Ana confiou seu tratamento injusto a Ele – sabendo que Ele "julga retamente" (1 Pe 2.23).

Maria, a mãe de nosso Senhor Jesus, também nos dá um exemplo de mansidão. Você deve conhecer bem a história dela. Por obra do Espírito Santo, Maria concebeu e deu à luz ao menino Jesus. Você sabia que muitas pessoas a consideraram adúltera? José, seu futuro marido, resolveu deixá-la secretamente (Mt 1.19), e algumas autoridades judaicas referiramse a Jesus como bastardo (Jo 8.41). Conforme a vida de Maria ilustra, um privilégio excepcional quase sempre anda de mãos dadas com o sacrifício, e a primeira coisa que Maria sacrificou foi sua reputação.[21]

J. Vernon McGee, pastor e professor que profere sermões pelo rádio, escreveu o seguinte a respeito da submissão de Maria à vontade de Deus: "Ela disse ao anjo: 'Que a Tua palavra se cumpra em mim.' Naquele exato momento, sua vida foi envolta por uma nuvem, e aquela nuvem esteve presente até o momento da ressurreição do Senhor Jesus Cristo. A ressurreição de Cristo prova Seu nascimento virginal, um fato que foi questionado até o instante de Sua ressurreição".[22] Que opções foram apresentadas a Maria, uma jovem solteira e

A Caminhada de Uma Mulher com Deus

grávida? Ela poderia ter tentado explicar, poderia ter contado o que aconteceu e poderia ter se vangloriado. Mas, a mansa e meiga Maria aceitou tudo. Suportou silenciosamente, por trinta e três anos, as injúrias e os mal-entendidos (Jo 8.41).

Maria de Betânia é outra mulher que nos exemplifica a mansidão. Em uma cena comovente de devoção, Maria ungiu os pés de Jesus com perfume caríssimo de nardo e enxugou-os com seus cabelos (Jo 12.1-8). No entanto, surgiu um problema. Quando a casa foi tomada pelo perfume, Judas criticou Maria diante de todos os que estavam reunidos ali, zombando dela: "Por que não se vendeu este perfume por trezentos denários e não se deu aos pobres?" (v. 5). Um comentarista fez esta observação: "O aroma do nardo era agradável para muitos, ao passo que, para outros, significava desperdício. Em sua mente calculista, Judas imaginou o custo do perfume e disse que era um desperdício gastá-lo com Jesus".[23]

Como você se sentiria, querida amiga, se, depois de entregar seu coração em adoração ao Senhor, alguém a criticasse publicamente? E como reagiria? Maria reagiu com silêncio piedoso. Suas boas intenções foram mal interpretadas e ela foi criticada – apesar disso, aceitou tudo. Abaixou a cabeça em silêncio e suportou o sofrimento de ser ridicularizada em público... e confiou em Deus. Com mansidão e humildade, Maria aceitou tudo.

E o que aconteceu quando ela confiou plenamente em Deus e tomou a decisão de reagir com mansidão e aceitar? *Deus* a acudiu! Naquela situação, Jesus a protegeu contra a crítica e a defendeu. Embora as boas intenções de Maria tivessem sido interpretadas erroneamente, Jesus conhecia os motivos daquela mulher... e Ele não se limitou a defendê-la; mas também a elogiou.

Moisés é outro homem piedoso que muito nos ensina como encontrar força na mansidão. Conforme você sabe,

Adquirindo Força por Meio da Mansidão

Deus escolheu Moisés para tirar Seu povo do Egito e levá-lo à Terra Prometida. No entanto, enquanto Moisés atuava como líder, o povo murmurava constantemente e se queixava dele, culpando-o por todos os problemas que surgiam. Observe apenas uma parte dessas reclamações!

- Quando faltou água, o povo murmurou contra Moisés. E como Moisés reagiu? Ele "clamou ao SENHOR" (Êx 15.22-25).

- Depois que o povo de Deus, pela primeira vez, deixou de confiar Nele porque não havia água, o Senhor pôs o povo novamente à prova da mesma maneira. E, dessa vez, qual foi a reação do povo? O povo contendeu com Moisés. E como Moisés reagiu? Ele "clamou [...] ao Senhor" (Êx 17.1-4).

- Quando foi constatada a presença de gigantes na nova terra, mais uma vez todos os filhos de Israel murmura-ram contra Moisés e Arão. E, mais uma vez, fiéis à sua conduta anterior, "Moisés e Arão caíram sobre o seu rosto" perante o Senhor (Nm 14.2-5).

- Finalmente, em sinal de completa rebelião, o povo se ajuntou contra Moisés e Arão. E, mais uma vez, "tendo ouvido isto, Moisés caiu sobre o seu rosto" (Nm 16.3,4).

Você notou o comportamento constante de Moisés para lidar com situações de conflito? Quando o povo se queixou, Moisés não discutiu, não argumentou, não se defendeu, nem se envolveu em contendas. Apenas aceitou. Suportou em silêncio as ofensas e clamou ao Senhor. Moisés aceitou – e aceitou com o rosto em terra, prostrado diante de Deus. Moisés aceitou – e levou tudo a Deus, suplicando e aguardando que Ele o livrasse daquelas ofensas injustas.

Uma das ofensas sofridas por Moisés merece ser destacada. O incidente, relatado em Números 12, teve relação com a tensão familiar (e você e eu sabemos que algumas situações domésticas têm o poder de esquentar os ânimos entre os membros da família!). Arão (que ajudava Moisés a conduzir o povo de Deus) e Miriã insurgiram-se contra Moisés, por ele ter se casado com uma mulher etíope (v. 1), e o acusaram de ser orgulhoso. Moisés reagiu com mansidão. Um estudioso da Bíblia explica: "Moisés não se defendeu. Por ser humilde e manso, ele não tentou justificar-se nem menosprezar seu irmão e sua irmã. Ele sabia que estava sendo criticado falsamente e que a verdade viria à tona".[24]

E a inocência de Moisés *tornou-se* evidente: "Deus entrou em cena imediatamente, mesmo antes de Moisés ter clamado por ajuda. Deus exaltou a reação de Moisés, sua humildade, sua mansidão, sua capacidade de suportar aquela falsa acusação sem revidar. Deus encarregou-se de lidar com Arão e Miriã... Deus agiu corretamente com Moisés".[25] Veja a avaliação de Deus a respeito do coração e do caráter de Moisés: "Era o varão Moisés mui manso, mais do que todos os homens que havia sobre a terra" (Nm 12.3). Moisés pôs em prática a graça da mansidão: aceitou e não fez nada, confiando tudo aos cuidados de Deus.

Considero maravilhoso o exemplo dessas pessoas piedosas e penso: "Nunca serei semelhante a elas". Mas, ao mesmo tempo, sou grata por essas vidas. Cada uma dessas pessoas reagiu de maneira piedosa, quando ridicularizada, e sofreu da mesma maneira que nós, minha querida. E cada uma delas adquiriu forças por meio da mansidão.

Adquirindo Força por Meio da Mansidão

Conforme já disse no início deste capítulo, a flor da mansidão aparenta ser muito frágil, mas brota do conglomerado das raízes mais fortes – brota de uma vida com Deus, a qual está sempre em Sua presença — uma vida que curva a cabeça, queda-se diante Dele e prostra-se com o rosto para baixo. Podemos fazer isso, minha querida – podemos pôr a mansidão em prática – quando aprofundarmos nossas raízes no solo da confiança e da fé até que sejamos capaz de tocar o coração Deus e a Rocha Eterna.

Oro para que este capítulo a tenha encorajado a suportar com tranqüilidade os maus tratos de outras pessoas, enquanto aguarda para ver o que Deus fará em seu favor. Por ser o Autor de todas as situações de sua vida, Ele também é o Finalizador de cada uma delas. E se – e quando – Ele quiser intervir, *Ele* será glorificado, porque ficará evidente para todos que *Ele* veio socorrê-la. E se Ele não quiser intervir, Ele será igualmente glorificado pela mansidão que você demonstrará, minha amiga, porque somente a graça e o poder de Deus *em* você a capacitarão a ter uma atitude de aceitação.

É verdade, mas como?

E então, o que você e eu podemos fazer para caminhar com mansidão? Como nos tornar mais semelhantes a Ana, Maria, Maria de Betânia e Moisés?

1. Aceite – Aceite tudo em sua vida como tendo sido permitido por Deus.

2. Ore – A oração desenvolve em nós uma atitude correta de mansidão: hábitos de curvar a cabeça, dobrar o corpo, ajoelhar-se, render-se e submeter-se a Deus.

3. Não reclame nem murmure – Um crente disse que reclamação "é uma acusação contra Deus. É questionar

a sabedoria de Deus e o bom julgamento de Deus. Deus sempre comparou reclamação com falta de fé... [porque] reclamar é duvidar de Deus. É o mesmo que insinuar que Deus não sabe o que está fazendo".[26]

4. Não tente manipular nada – Permita que Deus resolva a questão para você. Deposite sua fé na Bíblia da seguinte maneira:

Salmo 60.12 – "Em Deus faremos proezas, porque ele mesmo calca aos pés os nossos adversários."

Salmo 37.6,7 – "[Deus] fará sobressair a tua justiça como a luz e o teu direito, como o sol ao meio dia. Descansa no SENHOR e espera nele, não te irrites."

Salmo 57.2 – "Clamarei ao Deus Altíssimo, ao Deus que por mim tudo executa."

Salmo 138.8 – "O que a mim me concerne o SENHOR levará a bom termo."

Dando o Primeiro Passo

Se você puder, dê um primeiro passo gigantesco e identifique o maior problema de sua vida – algum evento do passado ou uma situação atual que Deus está pedindo que você tolere, suporte, aceite. Pegue o manto da mansidão e docilidade de Deus e vista-o. Adorne-se com o espírito de graça, o espírito de mansidão do Senhor. Depois, curve a cabeça em atitude de oração. Deite-se com o rosto para baixo e confie no Senhor. Aguarde pela ação e solução do Senhor. Verdadeiramente, esse fruto de mansidão é o fruto de poder – e se desenvolve em nós à medida que caminhamos pelo Espírito.

Capítulo 12

Vencendo a Batalha do Domínio Próprio

> [...] o fruto do Espírito é [...] domínio próprio.
> Gálatas 5.22,23

Era sexta-feira à noite. Normalmente, nossa igreja não realiza cultos nas noites de sexta-feira, mas o templo estava lotado. Jim e eu sentamo-nos na segunda fila com nossas duas filhas e os alunos do The Master's College que participavam de nosso estudo bíblico. O auditório, composto de milhares de pessoas, em antecipação ao evento, estava vibrando. Para mim, o momento era um tanto irreal. Já ouvira falar do orador desde os primeiros dias após minha conversão. Havia lido sua obra clássica *Liderança Espiritual* e estudado sua liderança no Overseas Missionary Fellowship. E agora, J. Oswald Sanders, em pessoa, proferiria uma palestra para nós! Aquela foi uma das experiências que ocorre apenas uma vez na vida.

Enquanto o dr. Sanders subia os cinco degraus até o púlpito, todos nós prendemos a respiração. Aquele homem piedoso, de noventa e dois anos, necessitava de ajuda. No entanto, por mais incrível que possa parecer, quando terminou suas saudações e

A Caminhada de Uma Mulher com Deus

pegou sua Bíblia, gasta pelo uso, para começar a falar sobre a Palavra de Deus, ele recebeu força e vigor do Espírito Santo e pareceu transformar-se diante de nós. Estávamos testemunhando o poder de Deus na vida de um homem que se dedicara, por muitas décadas, a servir e amar ao Senhor, um homem que caminhou com Deus por quase um século.

O dr. Sanders havia falado no dia anterior, por ocasião de um culto realizado na capela, e Jim pedira-lhe para autografar seu exemplar surrado do livro *Liderança Espiritual*. Jim tinha usado esse livro por várias décadas para discipular e treinar homens para a missão de líderes. E, da mesma forma que Jim havia imaginado, todos nós sabíamos que, naquela noite, estaríamos na presença de um homem que pôs em prática os princípios de vida descritos em seu livro.

Você já imaginou que nós também podemos alcançar a estatura espiritual de um homem piedoso como J. Oswald Sanders? Penso que a resposta para esta pergunta é revelada quando refletimos sobre a qualidade de caráter que ele destacou como a mais importante. Leia as seguintes palavras extraídas do capítulo intitulado "Qualidades Essenciais de Liderança":

> Dizem, com muita propriedade, que o futuro está com os disciplinados, e essa qualidade foi colocada em primeiro lugar em nossa lista, porque sem ela os outros dons, por maiores que sejam, nunca alcançarão seu potencial máximo. Somente a pessoa disciplinada atingirá seu mais alto grau de eficiência. Ela é capaz de liderar, porque subjugou a si mesma.[1]

Subjugar a si mesmo: é este o significado do fruto do Espírito chamado domínio próprio. Este importante dom de Deus é outra chave de ignição que, quando girada, aciona o poder que impulsiona o fruto do Espírito. Veja bem, o domínio próprio aciona a energia espiritual necessária para impulsionar a vida cristã. E deixe-me lhe mostrar como.

Revendo o Fruto de Deus

Pense por alguns instantes na importância do domínio próprio. Posso conhecer tudo sobre o amor e o que ele faz; posso ter o desejo de amar, mas o domínio próprio de Deus ajuda-me a pôr esse amor em prática. O mesmo se aplica à alegria e à paz. Sei que, quando meu coração está partido, necessito oferecer o sacrifício de louvor, mas tudo o que desejo naquele momento é sentir autopiedade. No entanto, se girar a chave do domínio próprio, permitirei que a graça de Deus flua em mim, capacitando-me a louvá-lo. Da mesma forma, quando estou prestes a entrar em pânico e desfalecer, o domínio próprio do Espírito me sustenta para que eu possa recorrer ao Senhor, confiar Nele e sentir Sua paz.

A longanimidade, a benignidade e a bondade também são frutos movidos pelo domínio próprio do Espírito. Quando, por exemplo, cada fibra de meu ser deseja ficar zangada ou aborrecida, o domínio próprio do Espírito concede-me a bênção de não fazer nada, apenas ser paciente. Quando circunstâncias difíceis tentam me impedir de preocupar-me com os outros, somente o domínio próprio do Espírito é capaz de ajudar-me a exibir uma reação piedosa de benignidade. E para exibir a bondade de Deus – esforçar-me para tornar melhor a vida dos outros – eu, mais uma vez, necessito do domínio próprio do Espírito.

Depois de ter lido a respeito da fidelidade e da mansidão, você já sabe que necessita muito do domínio próprio do Espírito para completar a carreira com fidelidade, nos momentos em que a preguiça e o egoísmo surgem tão facilmente. Aprendemos que a mansidão aceita – mas somente o domínio próprio de Deus pode dar-me a força para aceitar.

A Caminhada de Uma Mulher com Deus

Já percorremos um longo caminho para compreender melhor o fruto do Espírito, não é mesmo? Juntas, aprendemos – e, assim espero, crescemos – à medida que estudamos cada novo fruto. Deus nos tem desafiado de maneira marcante. E agora, o último fruto da lista de Deus – o domínio próprio – ajuda a pôr em prática todos os outros. O fruto do domínio próprio é muito poderoso e essencial para a vida cristã. Pode ser comparado a um alicerce de rochas sólidas que nos sustenta durante a jornada que empreendemos para nos assemelhar a Cristo (e é disto que eu tanto necessito!). "Mas como", perguntamos, "podemos compreender algo tão grandioso, tão importante?" Em primeiro lugar, é necessário compreendermos melhor o significado de domínio próprio.

O Que É Domínio Próprio?

No capítulo anterior, o apóstolo Pedro descreveu a graça da mansidão como um adorno que usamos quando andamos no Espírito. Contudo, a vestimenta espiritual do domínio próprio assemelha-se mais a uma armadura! Para se pôr em prática o domínio próprio, é necessário vestir farda de guerra e adotar a mentalidade de um guerreiro. Você verá por quê.

Para começar, a raiz grega de "autodisciplina" significa refrear-se da luxúria e da concupiscência.[2] Platão usou esse vocábulo para descrever a pessoa com capacidade para dominar seus desejos e seu apego ao prazer.[3] Domínio próprio é o poder de controlar o desejo mediante a intervenção do Espírito de Deus[4], refreando os instintos com pulso firme por meio do Espírito.[5] Em palavras mais simples, domínio próprio é a capacidade que a pessoa tem de se pôr em xeque.[6]

Você notou os dois denominadores comuns nessas definições? Um deles é o controle de si mesmo – *auto*domínio, *auto*-repressão e *auto*comando.[7] O segundo é o objeto que

Vencendo a Batalha do Domínio Próprio

está sob controle – nossas paixões, apetites, prazeres, desejos e impulsos[8], ou seja, tudo o que é físico, sensual, sexual. Isto inclui tudo o que vemos, ouvimos, tocamos, pensamos e desejamos. Em Gálatas 5, Paulo esforçou-se para relacionar as obras da carne, entre elas prostituição, impureza, lascívia, bebedices e glutonarias. Certamente, nenhum filho de Deus desejaria ter uma vida marcada por essas obras da carne! Somente o domínio próprio do Espírito pode nos ajudar a evitá-las.

Por quê? Porque (conforme mencionei antes) dentro de cada crente é travada uma tremenda batalha entre a carne e o Espírito (Gl 5.17). Esta "luta de tração" entre a carne e o Espírito Santo é um duelo espiritual: a carne e o Espírito "são colocados frente a frente para guerrear"[9]. Portanto, para vencer a batalha do domínio próprio, você e eu temos de reconhecer o conflito e confiar plenamente na ajuda e na misericórdia de Deus (Ef 6.10-13).

Quando o Domínio Próprio É Necessário?

Um crente observou: "Se você estiver vivo, será tentado, em maior ou menor grau!"[10]. Conseqüentemente, você e eu necessitamos do domínio próprio de Deus todos os minutos, todos os dia e em cada área da vida na qual estivermos enfrentando uma tentação. Necessitamos da ajuda do Espírito Santo na batalha para resistir aos impulsos da carne nas coisas comuns da vida... como alimentos e bebidas, compras e bens adquiridos, em tudo que tenha natureza sensual e sexual, e nos prazeres da vida de qualquer espécie.

Uma vez que o domínio próprio geralmente tem a ver com o corpo (que é o santuário do Espírito Santo – 1 Co 6.19), necessitamos manter nossos corpos em submissão ao Senhor. A explicação é mais ou menos esta:

A Caminhada de Uma Mulher com Deus

Se o corpo é o santuário, a alma é o sacerdote do santuário e deve controlar esse santuário. Por conseguinte, a alma deve governar o que o corpo faz. Quando o corpo é tentado pela luxúria da carne, pela luxúria dos olhos e pelo orgulho da vida, a alma precisa dizer não! Domínio próprio é isto. O corpo é disciplinado pela alma para glorificar a Deus em todas as ações.[11]

Portanto, querida amiga, precisamos ficar alertas quanto ao domínio próprio e ao controle de nosso corpo. Só assim seremos capazes de receber a bênção do domínio próprio do Espírito Santo em nossa vida.

O Que o Domínio Próprio Faz?

Quando você e eu caminhamos pelo Espírito, o domínio próprio torna-se evidente em nossa vida. É nesse instante que exibimos estas forças:

- O domínio próprio controla e fiscaliza o "eu".
- O domínio próprio refreia o "eu".
- O domínio próprio disciplina e supervisiona o "eu".
- O domínio próprio governa e comanda o "eu".
- O domínio próprio diz "NÃO!" ao "eu".

Uma amiga minha escreveu esta lista em um cartão de 10 x 15 cm e colou-o com fita adesiva no espelho do banheiro, para que ele pudesse ajudá-la a controlar suas reações emocionais, refletidas no comer em excesso. Para mim, essa lista é uma ótima idéia. E, por aplicar-se a uma ampla variedade de problemas, talvez você também queira copiá-la e, quem sabe, colocá-la em sua agenda de orações. Minha lista tem me ajudado sempre a lembrar-me dos padrões de Deus para o domínio próprio.

O Que o Domínio Próprio Não Faz?

Quando analisamos o que o domínio próprio não faz, compreendemos melhor esse importante fruto do Espírito.

- O domínio próprio *não* sucumbe à tentação.
- O domínio próprio *não* se rende à cobiça.
- O domínio próprio *não* participa do pecado.
- O domínio próprio *não* se entrega a paixões.
- O domínio próprio *não* satisfaz a si próprio.

Eu a adverti que o domínio próprio é um fruto que exige força! Pela graça de Deus, podemos ser fortes   fortes a ponto de não fazer essas coisas.

Qual é o Lema do Domínio Próprio?

Neste último trio do fruto espiritual, a fidelidade significa *"Faça!"*; a mansidão significa *"Aceite!"* e, agora, acabamos de ver que o domínio próprio significa *"Não faça!"*. Em tempos de tentação, devemos recorrer a Deus em busca de força e, depois, *não fazer!* Em outras palavras, não sucumbir a emoções, desejos e impulsos. Não pense nem faça aquilo que você sabe que é contra a Palavra de Deus. Não seja benevolente demais consigo mesma. Não faça escolhas fáceis. Não se justifique. E inclua nessa lista outros milhares de "não faça"!.

Um pastor apresentou uma excelente explicação: "A expressão domínio próprio significa 'capacidade de dizer não'. É uma evidência de força de vontade que, às vezes, se expressa em 'não poder'. É a capacidade de dizer sim na hora certa; sim para determinadas coisas, e não para outras. É aquele tipo de força interior que ajunta todas as circunstâncias e experiências da vida, submete-as a um julgamento e decide: 'Isto é certo, isto é da vontade de Deus', ou: 'Isto é errado,

A Caminhada de Uma Mulher com Deus

não me interessa'."[12] Em outras palavras, não faça o que você pode fazer – faça o que deve![13]

Lições Sobre Domínio Próprio Aprendidas com Outras Pessoas

Conforme ocorre com os outros frutos do Espírito, a Palavra de Deus vem em nosso socorro com exemplos vívidos de domínio próprio. A Bíblia, na verdade, nos oferece uma galeria de pessoas que cultivou o fruto do domínio próprio, e outra, que não o cultivou. Selecionei algumas.

Davi exibe o domínio próprio. Ao ler 1 Samuel essa semana, fiquei impressionada com o domínio próprio do rei Davi. Enquanto analisamos 1 Samuel 24 por alguns instantes, reflita sobre os eventos que antecederam esses acontecimentos na vida de Davi. Depois de ter sido ungido pelo profeta Samuel para ser rei (1 Sm 16.13), Davi passou a ser objeto da inveja e ódio do rei Saul. E, por duas vezes, enquanto Davi tocava harpa para Saul, o rei atirou uma espada em direção a Davi, com o objetivo de matá-lo (18.11; 19.10). E, quando Davi fugiu para não ser morto, Saul e seus soldados o perseguiram implacavelmente.

Exausto pela perseguição a Davi, Saul entrou em uma caverna, sem saber que Davi estava escondido ali (24.3). Davi, oculto nas sombras, observava Saul e percebeu que poderia matá-lo – a ocasião era propícia e tinha pelo menos dois bons motivos para executar a quem o perseguia. Primeiro, Davi havia sido ungido para ser rei. E segundo, Saul estava perseguindo Davi injustamente. Ali, naquela caverna, teria sido fácil para Davi assassinar seu adversário. Contudo, Davi venceu a batalha do domínio próprio. O que ele fez? Ele "conteve os seus homens e não lhes permitiu que se levantassem contra Saul" (v. 7) e lhe tirassem a vida. Davi disse a eles: "Não façam isto!".

Vencendo a Batalha do Domínio Próprio

Davi não teve apenas uma oportunidade de matar Saul – teve duas! Na segunda vez, Saul, que continuava a perseguir Davi incansavelmente, estava dormindo à noite em seu acampamento, quando Davi e um guerreiro entraram no local e chegaram perto do rei (1 Sm 26.7). Concluindo que Deus entregara o inimigo a Davi, o companheiro dele pediu: "Deixa-me, pois, agora, encravá-lo com a lança, ao chão, de um só golpe" (v. 8). Nesse caso, Davi não teria sequer precisado cometer aquele ato. Alguém mataria o inimigo para ele! Mas Davi conteve seu amigo: "Não o mates" (v. 9). Novamente, disse: "Não faça isto!".

Davi também exibe a falta de domínio próprio. Depois da morte de Saul em uma batalha, Davi foi nomeado rei. Mas, de repente, um capítulo triste de sua vida se inicia com as seguintes palavras: "Decorrido um ano, no tempo em que os reis costumavam sair para a guerra, enviou Davi a Joabe, e a seus servos, com ele, e a todo o Israel, [...] porém Davi ficou em Jerusalém" (2 Sm 11.1). Por alguma razão, Davi enviou outros em seu lugar e permaneceu em casa, em Jerusalém, em vez de partir para a guerra. Você se lembra da descrição de "O Herói" no capítulo 10? O herói foi fiel: ele estava onde deveria estar e fazendo o que deveria ser feito. Lamentavelmente, não podemos dizer o mesmo a respeito de Davi na situação que acabamos de ler, e esse ponto marca o início de sua grande queda – conforme veremos a seguir.

Uma noite, enquanto passeava pelo terraço da casa real, Davi viu, sob a luz da candeia, uma mulher tomando banho no pátio interior da casa dela[14] – *Davi viu.* Cedendo aos desejos carnais, Davi mandou perguntar quem era ela – *Davi ponderou.* À medida que a lascívia tomava conta de seus pensamentos e de seu coração, Davi foi cedendo cada vez mais e agiu de acordo com os desejos carnais, até chegar a ponto de

A Caminhada de Uma Mulher com Deus

enviar mensageiros para buscá-la, e deitou-se com ela (v. 4) – *Davi agiu*.

Você notou a progressão do pecado de Davi? A cada passo, ao longo do caminho da tentação, Davi cedeu a seus desejos em vez de exercitar o domínio próprio e refrear o impulso de pecar. Ele rendeu-se ao que era sensual, em vez de optar pelo que era espiritual. Davi poderia ter parado e se afastado do mal em qualquer estágio ao longo desse caminho.[15] Em um determinado ponto, Davi poderia ter dito a si mesmo: "Não faça isto!". Mas ele não agiu assim, e isto o levou a pecar.

Minha amiga, a situação é a mesma para você e para mim. Até mesmo uma pessoa muito forte pode cair em pecado. Para tanto, basta uma pequena decisão errada, uma desobediência, um momento de fraqueza, um pensamento ou olhar despreocupados. É por isto que devemos permanecer muito perto de Deus, vigiar nossa caminhada com Ele e cultivar o fruto do domínio próprio diante de cada pensamento, cada palavra e cada ação. Louvado seja Deus, porque podemos recorrer a Ele em qualquer momento e receber Dele ajuda e graça... e domínio próprio.

Acã também não teve domínio próprio. Quando Josué ocupava a posição de líder do povo de Deus, os bens materiais da cidade destruída de Jericó estavam condenados: tudo teria de ser queimado e destruído. Mas Acã agiu com deslealdade em relação às coisas condenadas (Js 7.1) e tomou posse ilegalmente de algumas delas. Após uma desastrosa derrota infligida aos guerreiros de Israel, Deus disse a Josué que alguém havia pecado contra Ele. Seguindo a orientação de Deus, Josué confrontou Acã. Veja a explicação de Acã: "Quando *vi* entre os despojos uma boa capa babilônica, e duzentos siclos de prata, e uma barra de ouro do peso de cinqüenta siclos, *cobicei-os* e *tomei-os*" (v. 21, grifos da autora).

Vencendo a Batalha do Domínio Próprio

Você notou algo com o qual já está familiarizada? Notou que o padrão das escolhas feitas por Davi se repetem? Será que você está começando a entender as lições que aprendemos com esses homens? Em poucas palavras, as lições são estas: Não pare, não olhe e não escute. Não faça!

José e a mulher de Potifar exibem, respectivamente, domínio próprio e falta de domínio próprio. Veja como aconteceu. A mulher do egípcio Potifar, oficial de Faraó e comandante da guarda (Gn 39.1), tinha, aparentemente, uma vida vazia e fútil... até o dia em que seu marido comprou José, filho de Jacó, para ser mordomo de sua casa.

E, realmente, "José era formoso de porte e de aparência" (v. 6). A mulher de Potifar olhou para José com cobiça e disse: "Deita-te comigo" (v. 7). De repente, José precisou fazer uma escolha. Optando pelo domínio próprio, ele foi capaz de resistir às investidas dela. Mesmo tendo sido recusada, a mulher de Potifar falava com José todos os dias (v. 10), sempre fazendo o mesmo convite. E, dia após dia, José teve de optar pelo domínio próprio. Chegou o dia, porém, que não havia mais ninguém na casa, a não ser a mulher de Potifar e José. Tomada pela lascívia, desejo e paixão, ela agarrou José. Mais uma vez José teve de fazer uma escolha – e ele optou por fugir, deixando seu manto nas mãos da mulher. Posteriormente, aquela mulher sedutora usou o manto de José como prova para mandar prendê-lo por um ato que ele não cometera.

Essa cena dramática apresenta-nos uma instrução clara sobre o domínio próprio. Por um lado, a mulher de Potifar não tinha domínio próprio. Ela permitiu que a sensualidade tomasse conta de seus pensamentos e ações. O *olhar* de cobiça dirigido a José... gerou *pensamentos...* que geraram *ações*, fruto das obras da carne. Demonstrando uma atitude frontalmente oposta e contrastante, José se destaca como um exemplo positivo ao pôr em prática o domínio próprio. Ele foi capaz de resistir à oportunidade de render-se à tentação.

Por que José foi capaz de permanecer firme? Ele contou o segredo de sua firmeza à mulher de Potifar: "Como, pois, cometeria eu tamanha maldade e pecaria contra *Deus?*" (v. 9, grifo da autora). José nos exibe tanto um nobre *motivo* para o domínio próprio como a perspectiva correta. Ele viu o incidente do ponto de vista de Deus e sabia que esse ato seria pecaminoso. Seu *raciocínio* também estava certo: ele percebeu que esse ato seria um pecado contra Deus. E o *foco* de José também estava centrado no lugar certo – não em si mesmo, não em seus desejos carnais, mas em Deus. Para José, era mais importante satisfazer a vontade de Deus do que satisfazer a própria vontade.

José nos exemplifica esta verdade: "O segredo da disciplina é a motivação. Quando o homem é suficientemente motivado, a disciplina incumbe-se de tomar conta de si mesma".[16] Jerry Bridges escreve em *The Practice of Godliness* [A prática de uma vida piedosa]: "Em última análise, domínio próprio é exercitar a força interior sob a direção de um sólido julgamento que nos possibilita fazer, pensar e dizer coisas que são agradáveis a Deus".[17] Que isso seja o que nos impulsiona e motiva quando estivermos fazendo escolhas e enfrentando as tentações da vida!

Lutando para Ter Domínio Próprio

Enquanto eu refletia sobre minhas lutas para ter domínio próprio, relacionei as coisas que mais me criam problemas e me fazem recorrer a Deus em busca de ajuda. Para mim, a primeira (e a pior) é *comida*. Certamente, a vida seria mais fácil se eu não tivesse de pensar em comida. Sei que Deus criou nosso corpo e que ele necessita de alimento, mas, às vezes,

Vencendo a Batalha do Domínio Próprio

essa necessidade natural e o desejo de comer fogem facilmente de meu controle. Por exemplo, no momento em que estou escrevendo sobre alimento, minha boca e minha mente passam, imediatamente, a desejar alguma coisa para comer – mas não é hora de comer. Não *necessito* comer porque acabei de almoçar. Apenas *quero* comer! Por isso, estou me esforçando para continuar sentada aqui, mantendo-me ocupada com a caneta na mão. Estou pensando: *Liz, basta dizer não. Não faça isto. Não se levante para ir à cozinha. Lute contra este impulso. Você vencerá com a ajuda de Deus. Não saia do lugar e continue trabalhando.*

Eu poderia comer alguma coisa? Claro. Que mal haveria? Nenhum – pelo menos agora. Mas quais seriam as bênçãos de não sucumbir aos desejos da carne? Por um lado, continuarei a escrever este capítulo. Por outro lado, serei vitoriosa, com a ajuda de Deus, em relação a esse pequeno problema. Quando digo não, estabeleço uma linha direta com Ele e adquiro a experiência que poderá me ajudar quando tiver de enfrentar um problema maior.

Eu também luto com meus *pensamentos* – e a luta é tão grande que cheguei a escrever um livro inteiro sobre esse assunto. *Amando a Deus de todo o seu entendimento*[18] explica como vencer os pensamentos que não se enquadram na Palavra de Deus. O livro detalha como podemos ganhar a guerra, se nos concentrarmos no que a Bíblia diz, e não no que nossas emoções e sentimentos nos levam a *pensar*.

Dinheiro é outro desafio diário para muitas pessoas e, talvez, para todas as mulheres cristãs. O mundo entra em nossa casa e nos tenta a gastar dinheiro. Tenho dito muitas vezes: "Não faça isto!", para o desperdício de dinheiro, ao eliminar, em minha agenda, algum item de minha lista de compras... mas, quase todos os dias, recebo um catálogo no meio de minha correspondência, acompanhado de folhetos de propaganda sobre toda sorte de artigos interessantes! E, além disso, não preciso enviar dinheiro para comprar essas coisas – minha correspondência está repleta de ofertas para adquirir cartões de crédito com anuidade grátis! Vendedores ligam-me oferecendo negócios espetaculares (eu deveria colar uma etiqueta em meu telefone com os seguintes dizeres: "Não faça isto!"). Todas essas armadilhas de venda são, na verdade, uma verdadeira tentação para amar as coisas deste mundo (1 Jo 2.15).

Outro desafio que anda de mãos dadas com o dinheiro chama-se *bens de consumo*. Sou igual a qualquer mãe de família, que adora ter uma casa bonita com todos aqueles detalhes que a transformam em um lugar agradável e acolhedor – todos os pequeninos detalhes que custam dinheiro! Quando nossa família se mudou para Cingapura para passar algum tempo em um campo missionário, vendemos ou doamos quase tudo o que possuíamos. Adivinhe o que aconteceu! Quando retornamos aos Estados Unidos, tive de comprar tudo de novo! Todos os sábados de manhã, eu saía de casa com vinte e cinco dólares no bolso e me dirigia a um brechó. Consegui, rapidamente, repor tudo – e mais algumas coisinhas extras! Naquela época, cheguei à conclusão que me tornara uma compradora compulsiva, que aguardava ansiosamente, salivando e ardendo de curiosidade, o momento em que me dirigiria a um desses lugares desconhecidos em busca de novidades. Nas manhãs de sábado, tinha de dizer a mim mesma: "Não faça isto!". Precisei refrear-me, conter-me e controlar meus impulsos. Imagine lutar tanto contra aquilo que Deus chama de "bens" para a casa (Lc 17.31).

O último item da lista que me desafia é o *café*. Sem dúvida, o hábito mais difícil que eu – com a ajuda de Deus – tive de vencer. Adoro o aroma do café, o gosto do café e a agitação que proporciona. Adoro um cafezinho quente, e o ritual de sentar-me segurando uma xícara desse precioso líquido. Mas, de repente, comecei a perceber que o café estava controlando minha vida! O café – e não Deus – era o primeiro pensamento que me vinha à mente ao despertar de manhã. O café – e não a oração – era minha prioridade matinal. Servir um café para mim – e não para minha família – era minha primeira preocupação do dia. Cheguei a ponto de não conseguir pensar nem trabalhar sem café. Não conseguia dar aulas sobre a Palavra de Deus sem café. Não conseguia planejar, escrever, trabalhar ou dirigir o carro sem antes tomar uma xícara de café quente. Fiquei sabendo que o problema era sério, quando adquiri o hábito de passar em lanchonetes com *drive thru*... não para comprar hambúrgueres ou batatas fritas, mas para pedir um café – sempre uma xícara grande!

Finalmente, chegou o dia em que, quando o assunto era café, percebi minha falta de domínio próprio. A bem da verdade, esse assunto já estava fora de controle! Decidi, com relutância, restringir o café e tentar me controlar. Fui forçada a dizer: "Liz, não faça isto!", para algumas das xícaras de café que costumava tomar.

Antes que você me interprete mal, quero dizer que quase todas as pessoas que conheço gostam de tomar café, sem nenhum problema. Jim é uma delas. Preparo o café dele todas as manhãs, mas ele é capaz de aplicar o princípio de Deus para moderar a quantidade de café que ingere. Em todos esses exemplos que mencionei – não apenas o hábito de tomar café –, você e eu necessitamos ter discernimento e sabedoria, bem como domínio próprio.

A Caminhada de Uma Mulher com Deus

É possível que sua lista de tentações seja diferente da minha. Mas a batalha para vencer cada tentação é conquistada da mesma forma, querida amiga: recorrendo a Deus e confiando no dom de Seu domínio próprio; pedindo a Ele que lhe dê forças para dizer mais uma vez: "Não faça isto!". Depender da força de Deus é o segredo para cultivar o domínio próprio em nossa vida.

Cultivando o Domínio Próprio

A Bíblia, com esses relatos sobre pessoas que demonstraram ter domínio próprio e as que não demonstraram tê-lo, ensina-nos muito sobre como cultivar esse fruto do Espírito. Talvez as seguintes instruções extraídas da Palavra de Deus possam ajudá-la a começar a cultivar esse fruto tão importante.

- ✹ Comece com Cristo. Ele é o Senhor e Mestre de sua vida? Uma pessoa sábia fez a seguinte observação: "O domínio próprio começa quando somos dominados por Cristo, quando nos submetemos à Sua soberania".[19]

- ✹ Controle o que seus olhos vêem. O problema de Davi – e o de Acã também – começou com um olhar muito demorado para as coisas erradas. Talvez Davi tenha escrito o seguinte conselho depois de seu pecado com Bate-Seba: "Não porei coisa injusta diante dos meus olhos" (Sl 101.3).

- ✹ Permaneça ocupada. Tanto Davi como a mulher de Potifar pecaram porque não tinham nada para fazer. Portanto, programe suas atividades... e seja perseverante! Ofereça-se como voluntária para ajudar outras pessoas.

Vencendo a Batalha do Domínio Próprio

Faça o que for necessário para manter-se ocupada. Com isto, você estará se recusando a comer "o pão da preguiça" (Pv 31.27) e terá menos tempo para ser tentada.

- Diga "Não!". Salomão escreveu: "Como cidade derribada, que não tem muros, assim é o homem que não tem domínio próprio" (Pv 25.28). Esta verdade é repercutida no seguinte pensamento: "A palavra *Não* forma o armamento e os muros protetores da cidade espiritual... Às vezes, *Não* é uma palavra difícil de ser proferida, mas é o segredo para o domínio próprio, a palavra que o Senhor abençoa".[20]

- *Ore.* Davi "era um homem compromissado com a realidade da oração. Davi orava a respeito de quase tudo... mas a Bíblia nunca menciona Davi orando a respeito de sua vida amorosa. Nem uma vez sequer... Talvez esse tenha sido um aspecto de sua vida que ele nunca dominou e que quase o destruiu."[21] Portanto, ore – sobre qualquer, e todo, aspecto de sua vida!

A boa nova de Deus para você e para mim, querida leitora, é que podemos clamar por Seu poder, andar em Seu Espírito, exercitar o domínio próprio e vencer a batalha da tentação da carne. E, assim, exibiremos de maneira extraordinária a beleza de Cristo enquanto caminhamos com Ele todos os dias de nossa vida! Que Deus maravilhoso é o nosso, o Deus que torna o tesouro de Sua graça – Seu domínio próprio – acessível a nós!

Capítulo 13

Examinando as Aplicações de Jesus

Enquanto você e eu estamos estudando os aspectos do fruto do Espírito de Deus e a influência de cada um deles em nossa vida, Jesus nos mostra como praticá-los mediante a graça de Deus. Eu gostaria de recorrer a Ele mais uma vez para compreender esse último trio que trata da disciplina do "eu" – fidelidade, mansidão e domínio próprio.

Quando terminamos o capítulo 9, vimos que Jesus havia sido preso à força e conduzido para ser julgado e crucificado. Como Ele enfrentou aquela série de eventos? E qual foi Sua atitude quando enfrentou a cruz? Pedro, que observou o desenrolar daqueles terríveis acontecimentos, pode servir como resposta a essas perguntas. Apesar de Pedro, quando interrogado, ter negado veementemente qualquer tipo de relacionamento com Jesus (Mt 26.69-75), ele continuou a seguir seu Mestre à distância (v. 58). E, em rápidas pinceladas, Pedro traça um resumo do comportamento de nosso Senhor, para que possamos seguir seus passos:

A Caminhada de Uma Mulher com Deus

[Jesus] não cometeu pecado, nem dolo algum se achou em sua boca, pois ele, quando ultrajado, não revidava com ultraje, quando maltratado não fazia ameaças, mas entregava-se àquele que julga retamente (1 Pe 2.22,23).

Jesus Não Cometeu Pecado

O primeiro comentário de Pedro aplica-se à vida inteira de Jesus, e não apenas a Seus últimos dias na Terra. Durante todo o tempo em que aqui viveu, Jesus não cometeu pecado. Provavelmente, você e eu já experimentamos a momentânea realidade de não ter cometido nenhum pecado quando tudo vai bem, e a vida é boa. Sob circunstâncias favoráveis – que representam uma bênção de Deus –, o valor da vitória alcançada não é representativo. No entanto, imagine por alguns instantes uma circunstância terrível, semelhante à que Jesus viveu, uma circunstância caracterizada por traição, mentiras, falsas acusações, castigo injusto, brutalidade, maus tratos físicos, afrontas, açoites com paus e varas, ser pregado na cruz e traspassado com lança. Imagine passar por tudo isto sem ter cometido nenhum pecado! Minha querida, trata-se, sem dúvida, da obra do Espírito Santo, porque só Ele nos capacita a atravessar situações difíceis sem pecar!

Mas por que Jesus sofreu tanto? Por que Ele foi tão maltratado? Durante toda a vida Dele na Terra, Ele...

Fez o bem,
Fez tudo certo.
Fez tudo o que Deus pediu e exigiu Dele e
Cumpriu a vontade do Pai para Sua vida.

Jesus também...
Ensinou a verdade Deus,
Curou os filhos de Deus,

Examinando as Aplicações de Jesus

Alimentou o povo de Deus e
Levou luz aonde havia trevas.

E Ele também...
Evangelizou os pobres,
Curou os quebrantados de coração,
Proclamou a libertação dos cativos,
Restaurou a vista dos cegos e
Pôs em liberdade os oprimidos.
(Lc 4.18)

Conforme Pedro explica, Jesus sofreu por ter praticado o bem (1 Pe 2.20). O santo Filho de Deus nunca pecou, nem uma vez sequer. Viveu todos os Seus dias na Terra sem pecar (Hb 4.15). Por meio das palavras de Pedro e do autor de Hebreus, Deus testifica a completa pureza de Jesus. Ele, mais do que ninguém, não mereceu sofrer de maneira alguma!

Até mesmo aqueles que condenaram Jesus sabiam que Ele não havia cometido nenhum pecado! Pilatos disse aos sumos sacerdotes e à multidão: "Não vejo neste homem crime algum" (Lc 23.4). Depois de Jesus ter comparecido perante a corte de Herodes, Pilatos repetiu aos sumos sacerdotes e às autoridades ali presentes: "Tendo-o interrogado na vossa presença, nada verifiquei contra ele dos crimes de que o acusais" (v. 14). Posteriormente, Pilatos explicou: "Nem tampouco Herodes, pois no-lo tornou a enviar. É, pois, claro que nada contra ele se verificou digno de morte" (v. 15). E, pela última vez, Pilatos perguntou aos líderes judeus: "Que mal fez este? De fato, nada achei contra ele para condená-lo à morte" (v. 22). Não, nosso Jesus não cometeu nenhum crime. Não cometeu nenhum pecado.

Você notou que, da mesma forma que nosso Senhor e Salvador venceu o pecado de maneira firme e cabal, nós também

A Caminhada de Uma Mulher com Deus

podemos invocar a Deus para que Ele nos ajude a fazer escolhas certas na vida, escolhas que dizem *não* ao pecado? Como crentes, nossa prioridade deve ser a de evitar o pecado, e não evitar o sofrimento. Thomas Guthrie, o escritor escocês de textos devocionais, advertiu: "Nunca tenha medo de sofrer; mas, ah!, tenha medo de pecar. Se tiver de optar por um deles, prefira passar por um enorme sofrimento a cometer um ínfimo pecado."[1] Você é capaz de aplicar estas palavras à sua vida?

Jesus Não Pecou por Meio de Palavras

Além de não ter pecado por meio de ações, Jesus também não pecou por meio de palavras: "[Jesus] não cometeu pecado, nem dolo algum se achou em sua boca" (1 Pe 2.22). Mesmo depois de um minucioso interrogatório, os acusadores de Jesus não constataram nenhum traço de astúcia ou dissimulação.[2] Ele sempre falou a verdade. Sempre falou e agiu com pureza. Não se descobriu nenhum fingimento ou hipocrisia Nele.

Além do mais, Jesus, quando submetido a interrogatório, não se defendeu das acusações e recusou-se a responder às perguntas. Quando Jesus foi falsamente "acusado pelos principais sacerdotes e pelos anciãos, nada respondeu" (Mt 27.12). Quando foi interrogado por Pilatos, "Jesus não respondeu nem uma palavra" (v. 14). Caifás e o Sinédrio também o desafiaram: "Nada respondes ao que estes depõem contra ti?" (Mc 14.60). Sabe qual foi a reação de Jesus? "Ele, porém, guardou silêncio, e nada respondeu" (v. 61). Em vez de argumentar perante as pessoas que não tinham ouvidos para ouvir, Jesus submeteu-se, em silêncio, a um tratamento agressivo e a uma morte cruel que Ele não merecia.

Examinando as Aplicações de Jesus

Jesus Não Ofereceu Resistência

Jesus também não ofereceu resistência a seus acusadores e inimigos. Recusou-se a contender tanto física como verbalmente. Lemos, por exemplo, que enquanto foi ultrajado, Ele não revidou com ultraje (1 Pe 2.23). Ser ultrajado significa ser terrivelmente agredido por palavras, ser submetido a tratamento desonroso e ser amaldiçoado com uma série de palavras ofensivas.[3] Este foi o tratamento que nosso Jesus, o imaculado Cordeiro de Deus, recebeu! Em outras palavras, "assim o meigo coração de nosso Senhor Jesus foi ferido pela natureza humana totalmente depravada".[4]

Jesus não revidou quando foi agredido verbalmente nem quando foi agredido fisicamente. Ao contrário, "quando maltratado, não fazia ameaças" (1 Pe 2.23). Neste texto, a palavra "maltratado" significa ser esmurrado e esbofeteado (Mt 26.67). Pedro está se lembrando dos socos que Jesus recebeu, do escárnio do sumo sacerdote, da submissão silenciosa do Mestre, dos açoites, da cruz. O idioma grego enfatiza que "sob constantes e repetidas provocações, [Jesus] não rompeu o silêncio nem uma só vez. Durante o tempo todo em que foi vítima de maus tratos, Ele não revidou. Durante o tempo todo em que estava sofrendo, Ele não lançou mão de ameaças."[5] Um estudioso menciona que as palavras *sofrimento* e *ameaça* têm uma força progressiva no idioma original, e ele observa que "até mesmo o sofrimento contínuo nas mãos da turba não provocou nenhuma palavra de vingança proferida por nosso Senhor."[6]

É claro que palavras de vingança ou pecaminosas jamais se encaixariam na perfeita divindade de Jesus! Reagir ou responder é algo que você e eu podemos fazer, mas Jesus, quando foi maltratado injustamente, não proferiu ameaças, não condenou seus opressores nem invocou julgamento sobre eles. Manteve-se calado. Lemos em Isaías 53.7: "Ele foi

A Caminhada de Uma Mulher com Deus

oprimido e humilhado, mas não abriu a boca; como cordeiro foi levado ao matadouro; e, como ovelha muda perante os seus tosquiadores, ele não abriu a sua boca".

Ah, como é maravilhoso o nosso Jesus! E como meu coração sofre quando penso naquela cena de horror e maldade. A reação de meu Salvador é comovente. Ela me faz pensar (e querer tomar uma resolução!), pois se Jesus foi capaz de demonstrar tanta graça – tanta fidelidade e domínio próprio – nessas terríveis circunstâncias, também posso fazer o mesmo no ambiente tranqüilo de minha vida e de meu trabalho. Se Ele suportou com tranqüilidade a dor e o sofrimento infligidos por seus assassinos, certamente também posso suportar maus tratos recebidos de outras pessoas. Se Ele permaneceu de boca fechada mesmo sendo inocente, também posso fazer o mesmo, sejam quais forem as acusações falsas e os mal-entendidos. Sei também que somente poderei fazer essas coisas mediante o poder do Espírito de Deus, que me abastece com Sua fidelidade, mansidão e domínio próprio.

E agora... uma oração final de agradecimento...

É com o coração transbordando de alegria, ó Pai,
Que murmuramos mais um: "Obrigada!" –
Desta vez pela graça de teres enviado Teu Filho
Que demonstrou completa fidelidade a Ti,
Que aceitou com mansidão um tratamento tão
    injusto, e
Que exibiu domínio próprio em circunstâncias
    terríveis
Enquanto caminhava até a cruz para morrer por
    nós.
Que possamos receber Tua graça... que possamos
Cumprir fielmente tudo o que pedes de nós,
Sofrendo com mansidão e em silêncio tudo o que
    tivermos de enfrentar e

Examinando as Aplicações de Jesus

Tendo absoluto controle sobre nós, não fazendo
   nada que venha a desonrar teu digno Nome.
Em nome de Jesus, nosso Exemplo, nosso Salvador
   e nosso Senhor.
Amém.

Epílogo

Planejando Crescer Mais

Que maravilha! Conseguimos! Você e eu terminamos a caminhada que nos levou a conhecer o fruto do Espírito! No roteiro turístico que fizemos juntas, passamos de um grupo a outro, de um fruto a outro. Tendo a Palavra de Deus como nosso guia, estudamos cada graça, cada fruto – o que cada um significa e como cultivá-lo em nossa caminhada com Deus.

Estou feliz porque tivemos tempo suficiente para nos dedicar a cada fruto. Tivemos tempo para estudar, tempo para nos deleitar, tempo para fazer perguntas, tempo para discutir e, acima de tudo, tempo para agradecer. Mas o passeio terminou; analisamos todos eles. Agora sabemos o que significa cultivar o fruto de Deus em nossa vida.

Nestas páginas finais, queremos ter a certeza de que assimilamos a mensagem de Deus para nós. Falar sobre fruto espiritual é fácil, mas Deus deseja que nós – você e eu – o apliquemos em nossa vida. Sua Palavra descreve o que Ele deseja para nossa vida, o que Ele deseja que os outros vejam em nós quando cultivamos o fruto de seu Espírito na vida real.

A Caminhada de Uma Mulher com Deus

A Manifestação do Fruto de Deus

Como o fruto do Espírito se manifesta em nossa vida? Espero que você conheça alguém que demonstre as virtudes de amor, alegria, paz, longanimidade, benignidade, bondade, fidelidade, mansidão e domínio próprio. Eu conheço alguém, e o nome dele é Sam Britten. Sam é um senhor idoso que participa dos trabalhos de nossa igreja. Ele também é diretor do Centro de Atividades para Deficientes Físicos da Universidade Estadual da Califórnia, em Northridge. Jim e eu conhecemos Sam há mais de 20 anos, mas foi uma das alunas do *campus* que nos ajudou a gostar um pouco mais dele.

Judi ouviu falar das coisas extraordinárias que se passavam no centro, localizado perto de uma de suas salas de aula, no fim do corredor. Uma tarde, movida pela curiosidade, ela entrou naquele local e permaneceu em pé, observando em silêncio. E ela viu o Dr. Britten, ajoelhado no chão, ajudando e incentivando um de seus alunos deficientes. Vejam o que Judi – que não era cristã, mas já ouvira falar de Jesus – disse:

— Enquanto estava ali observando o Dr. Britten e testemunhando seu amor, benignidade, longanimidade e mansidão para com aquele aluno, pensei: "Esta atitude deve ser muito semelhante à de Jesus!".

Dali em diante, ela passou a entrar todos os dias naquela sala e testemunhou, repetidas vezes, a mesma cena.

— Houve dias – Judi confessou – em que tive de sair da sala para chorar no corredor. Era comovente demais observar aquele homem!

Judi aproximou-se de Margie, uma das assistentes de Sam, para indagar se ela sabia por que Sam se assemelhava a Jesus. Margie respondeu:

— Ah, ele é cristão, lê muito a Bíblia e ora. Aliás, oramos juntos todos os dias antes da chegada do pessoal que vem até aqui para receber tratamento.

Bem, você já deve ter adivinhado o resto da história. Logo a seguir, Judi comprou uma Bíblia. Começou a ler a Palavra de Deus e a orar. Também encontrou uma igreja e, dentro de um ano, Judi entregou seu coração a Jesus.

A Manifestação da Palavra de Deus em Você

Minha querida, o exemplo de Sam Britten engloba toda a mensagem deste livro: Jesus em você e em mim; Jesus visível aos outros quando andamos no Espírito; Jesus amando e servindo outras pessoas por nosso intermédio; Jesus exibido em nós da mesma forma que foi exibido em Sam Britten. Quando andamos no Espírito, demonstramos as atitudes de Jesus. E, conforme vimos, Jesus exemplificou perfeitamente cada fruto do Espírito. Abastecidas com Seu Santo Espírito, nós, também, devemos cultivar essas graças para atender às necessidades de um mundo tão carente, exatamente como Ele fez.

O apóstolo João escreveu sobre esse tipo de semelhança com Cristo em 1 João 3.2: "[...] quando ele se manifestar, seremos semelhantes a ele." E, no versículo seguinte, ele nos diz como podemos ser semelhantes a Jesus: "E a si mesmo se purifica todo o que nele tem esta esperança, assim como ele é puro" (v. 3). E o que faz esta purificação acontecer, e como ela acontece?

> Todo aquele que crê verdadeiramente que, um dia, será semelhante a Cristo... por certo purifica-se a si mesmo e busca, incansavelmente, ter uma vida piedosa, fazendo disto sua prioridade máxima. Esta é a marca do verdadeiro filho de Deus. Devemos apreciar a beleza de Cristo e estar sempre com os olhos fixos Nele, conforme lemos nas Sagradas Escrituras. Devemos

A Caminhada de Uma Mulher com Deus

fazer tudo o que estiver a nosso alcance: lutar, orar e manter a disciplina para nos assemelhar cada vez mais a Cristo – seja qual for o preço a ser pago –, sabendo que cada vitória sobre o pecado, cada tentação subjugada, cada virtude conquistada representa mais um passo, mais outro e mais outro até alcançarmos o objetivo de ser semelhantes a Ele.

Quando o dr. John Blanchard, o homem sábio que proferiu estas palavras, terminou sua mensagem, ele fez a seguinte oração: "Nós Te glorificamos por Tua bondade *para* conosco, por permitires que o Espírito Santo esteja presente *em* nossa vida, por cada palavra das Sagradas Escrituras que arde em nosso coração, por cada passo dado em nosso progresso, por cada vitória conquistada e por cada tentação resistida. E nós também Te louvamos, sabendo que somente mediante a Tua graça e o Teu poder alcançaremos tudo isto".[1]

Minha querida amiga, que você e eu possamos nos apropriar dessa oração, à medida que continuamos a caminhar com Deus para cultivar o fruto de Seu Espírito em nossa vida.

Guia de Estudos

Mas o fruto do espírito é: amor, alegria,
paz, longanimidade, benignidade,
bondade, fidelidade, mansidão,
[e] domínio próprio.
Gálatas 5.22,23

Capítulo 1 – Preparando-se para Continuar a Crescer

A verdade de Deus

- ❧ Qual é o chamado de Deus para você em Gálatas 5.16? O que aconteceria em sua vida se você seguisse essa instrução?

- ❧ De acordo com Gálatas 5.17, com quais conflitos os crentes têm de conviver? Cite um ou dois exemplos específicos de sua luta nessa área.

A Caminhada de Uma Mulher com Deus

☞ Reveja as "obras da carne" relacionadas em Gálatas 5.19-21. Com quais delas você luta?

☞ Leia Gálatas 2.20, 5.24 e 6.14. Em sua opinião, o que significam as referências sobre ser ou estar "crucificado"? De que maneira a verdade contida nesses versículos pode modificar a visão que você tem da vida e, mais especificamente, a visão que você tem das lutas que identificou nas duas perguntas anteriores?

☞ O que Deus está lhe dizendo em Gálatas 5.24,25? O que significa a expressão "andar no Espírito"? Como o "andar no Espírito" pode ser percebido em sua vida?

Minha resposta

☞ Leia João 15.1-8. Trace um plano de ação para permanecer em Cristo nesta semana. Seja específica sobre *quando* e/ou *como* você porá em prática cada uma destas sugestões:

Passar algum tempo estudando a Palavra de Deus

Guia de Estudos

Passar algum tempo orando

Viver de maneira mais obediente

Renovar seu compromisso com Cristo

Capítulo 2 – Buscando Amor Em Deus

A verdade de Deus

- Leia 1 Coríntios 13.4-8a. Qual o aspecto do amor que você acha mais difícil de pôr em prática? Sabendo que o fruto do Espírito exige um pouco de esforço de sua parte para ser cultivado, que atitude você tomará esta semana para vencer essa dificuldade?

- De acordo com 1 João 4.7,8, de quem procede o amor? De acordo com os versículos 20 e 21 desse capítulo, como podemos saber se alguém ama a Deus?

- O que Romanos 5.5 ensina a respeito do amor?

A Caminhada de Uma Mulher com Deus

⊛ Quando você acha mais difícil amar? Para responder a esta pergunta, faça uma análise de si mesma, como também de outras pessoas.

Minha resposta

⊛ Qual a mensagem de Deus para você no estudo sobre o amor de Rute por sua sogra Noemi?

⊛ Qual a pessoa de seu relacionamento que você considera mais difícil de amar? Enquanto pensa nessa pessoa, leia as palavras de Jesus em Lucas 6.27,28. Que instruções específicas Jesus lhe dá sobre a pessoa que você tem em mente? O que você fará esta semana para obedecer a todos os mandamentos de Jesus? Não se esqueça de ser específica!

⊛ De acordo com Lucas 6.35, quando você ama da maneira que Jesus nos ensinou, o que deve esperar em troca? E, por fim, o que você pode esperar?

Guia de Estudos

Capítulo 3 – Oferecendo o Sacrifício de Alegria

A verdade de Deus

- ☺ Qual é a instrução de 1 Tessalonicenses 5.16 para os crentes? De acordo com Filipenses 4.4, qual deve ser a fonte de constante alegria do crente? Explique.

- ☺ Leia o Salmo 32.3,4. O que aconteceu a Davi por ele não ter confessado seu pecado? Agora, leia os versículos 5 e 11. O que Davi sentiu assim que confessou seu pecado? Que pecado está prejudicando sua alegria com o Senhor? Passe alguns minutos examinando seu coração e, a seguir, confesse-o e receba o perdão de Deus.

- ☺ Que explicação sobre o sofrimento você encontra em 1 Pedro 1.6-8? E qual é o motivo para a alegria mencionado nessa passagem?

- ☺ Em que ocasiões você acha mais difícil sentir alegria no Senhor? Como as circunstâncias costumam exercer influência sobre sua alegria? Que sacrifício de louvor você poderia oferecer mesmo quando as circunstâncias lhe são desfavoráveis?

A Caminhada de Uma Mulher com Deus

Minha resposta

☙ Qual foi a mensagem de Deus para você no estudo da vida de Ana e nas circunstâncias que poderiam ter prejudicado a alegria daquela mulher? O que você pode fazer para seguir o exemplo de Ana em cada uma das situações abaixo? Mais uma vez, seja específica.

Sofrer em silêncio

Abandonar qualquer pensamento de vingança

Buscar a Deus em oração

Oferecer um sacrifício de louvor para que Deus possa abastecê-la com Sua alegria

Capítulo 4 – Sentindo a Paz de Deus

A verdade de Deus

☙ Paz pessoal – Que instrução Deus apresenta em Filipenses 4.6a e João 14.1a para que você sinta paz? De

Guia de Estudos

que maneira as verdades contidas em Romanos 8.28 e em 1 Coríntios 10.13 a incentivam a descansar na paz de Deus?

🕲 Que sugestões para conhecer a paz de Deus você encontra na história de Marta e Maria (Lc 10.38-42)? De que maneira as quatro passagens bíblicas que você acabou de ler podem ajudá-la a sentir a paz de Deus nas situações apresentadas?

🕲 Paz nos relacionamentos pessoais – Leia Colossenses 3.12-15. Em que aspecto de sua vida a paz de Deus deve estar presente? De acordo com Romanos 14.19, Hebreus 12.14 e 1 Pedro 3.11b, de que maneira essa paz ocorre? Qual é sua responsabilidade quando se trata de procurar manter a paz em seus relacionamentos pessoais?

Minha resposta

🕲 Paz pessoal – Que situações em sua vida lhe causam ansiedade e roubam sua paz? Mais especificamente, que situação atual pode tentá-la a lhe deixar preocupada?

A Caminhada de Uma Mulher com Deus

⊛ Qual sacrifício da confiança você fará? E em que aspectos do caráter de Deus você se concentrará?

⊛ Paz nos relacionamentos pessoais – Que mensagem Deus tem para você em Mateus 5.23,24? Que atitudes você tomará para relacionar-se corretamente com todas as pessoas? Mais uma vez, seja específica quanto ao *o que* e o *quando*.

Capítulo 5 – Examinando as Atitudes de Jesus

A verdade de Deus

⊛ O que sabemos sobre o propósito da vida e morte de Jesus? Leia, por exemplo, Mateus 20.28.

⊛ Leia Mateus 26.36-46. Quem testemunhou a agonia de Jesus no jardim? De acordo com Lucas 22.45, como os discípulos enfrentaram a tristeza naquele momento? O que deveriam ter feito?

⊛ O que Lucas 22.44 e Hebreus 5.7 mencionam sobre a intensidade do sofrimento e da luta interior de Jesus no

Guia de Estudos

Getsêmani? De acordo com Mateus 26.39, qual foi o fator determinante em tudo o que Jesus fez e sofreu?

⊛ Que atitude espiritual Jesus demonstrou quando enfrentou a cruz? Leia Hebreus 12.2.

⊛ Como as palavras de Jesus em Mateus 25.46 indicam que Ele conhecia a paz de Deus?

Minha resposta

⊛ Como você costuma enfrentar as situações difíceis?

⊛ Nessas ocasiões, o que você faz para ser abastecida com o amor de Deus?

⊛ Em situações difíceis, o que você faz para oferecer um sacrifício de louvor? Pense especificamente em um problema que está enfrentando neste momento.

A Caminhada de Uma Mulher com Deus

◉ Diante desse problema, o que você fará para receber e conhecer a paz de Deus?

◉ O que Jesus fez quando enfrentou o terrível sofrimento na cruz? Que atitude você tomará para seguir o exemplo de Jesus e fazer disso um hábito em sua vida?

Capítulo 6 – Resistindo com Longanimidade

A verdade de Deus

A palavra grega para "paciência" é traduzida, no mínimo, de três maneiras. Use um dicionário para definir cada vocábulo.

Longanimidade

Paciência

Tolerância

◉ Na Bíblia, quem melhor exemplifica essas características da paciência para você? De que forma esse personagem bíblico a incentiva?

◉ Leia 1 Pedro 2.18-23. Quando a longanimidade é apreciada por Deus? Quais foram os quatro comportamentos

Guia de Estudos

naturais que Jesus *não* demonstrou quando sofreu injustamente? Qual foi a atitude que Jesus escolheu diante do sofrimento?

🕉 Que situação atual está exigindo que você seja longânime, paciente?

Minha resposta

🕉 Você saberia dizer que pessoa ou situação em sua vida está lhe causando grande sofrimento?

🕉 Qual definição dos três sinônimos relacionados anteriormente – longanimidade, paciência, tolerância – é mais significativa para você com relação a essa pessoa ou situação?

🕉 Reflita sobre o exemplo de Jesus (1 Pedro 2.18-23). Em sua opinião, que tipos de atitude e comportamento Deus deseja que você demonstre em tempos de sofrimento? Como você pode demonstrar essas atitudes e comportamentos?

A Caminhada de Uma Mulher com Deus

Fazendo:

Não fazendo:

Capítulo 7 – Planejando a Benignidade

A verdade de Deus

⊛ Leia as seguintes referências sobre a benignidade de Deus.
Lucas 6.35 – A quem Deus estende Sua benignidade?
Romanos 2.4 – Qual é a intenção da bondade de Deus?
Romanos 11.22 – Qual é o oposto da bondade de Deus?
Efésios 2.7 e Tito 3.4,5 – Qual é o resultado da benignidade e mansidão de Deus para com você?

⊛ De acordo com 2 Coríntios 6.6 e 2 Timóteo 2.24, que qualidades devem caracterizar o povo de Deus?

⊛ Que mandamentos Deus dá aos crentes em Efésios 4.32 e Colossenses 3.12?

⊛ Leia 1 Coríntios 13.4. A falta de mansidão indica algo. O quê?

Guia de Estudos

Minha resposta

- Quem, em sua vida, tenta por todos os meios impedir que você seja bondosa? Que tipo de interação com as pessoas, em especial, desafia seus esforços de ser bondosa?

- Pense em uma determinada pessoa que faz aflorar em você o antônimo da bondade. Com base na discussão que encerra o capítulo, trace um plano específico de ação que possa ajudá-la a demonstrar o fruto da benignidade quando estiver lidando com essa pessoa.

Capítulo 8 – Oferecendo Bondade

A verdade de Deus

- De acordo com Mateus 5.45, de que maneiras Deus pratica a bondade e a quem Ele beneficia?

- Que mandamentos aos cristãos você encontra em Gálatas 6.9,10 e a quem eles beneficiam?

- O que os versículos abaixo dizem a respeito da bondade? Observe as palavras dirigidas especialmente às mulheres.

Lucas 6.27

A Caminhada de Uma Mulher com Deus

Efésios 2.10

1 Timóteo 2.9,10

1 Timóteo 5.1

Tito 2.5

⊛ O que Deus está dizendo nessas passagens?

⊛ Por que você necessita da ajuda do Espírito Santo para produzir boas obras? Leia Romanos 7.18,19.

Minha resposta

⊛ Leia a parábola dos talentos em Mateus 25.14-26. Como o homem abastado descreve os servos que o beneficiaram? Como ele descreve o servo que não fez nada com o dinheiro? Qual é a conexão entre maldade e negligência? Entre bondade e fidelidade?

Guia de Estudos

Capítulo 10 – Completando a Carreira com Fidelidade

A verdade de Deus

 ʘ Com suas palavras, defina "fidelidade".

 ʘ O que os versículos abaixo lhe dizem sobre fidelidade:

Lamentações 3.22,23

Romanos 3.3

Apocalipse 19.11

Apocalipse 21.5; 22.6

 ʘ Em 1 Coríntios 4.2 e 1 Timóteo 3.11, a quem Deus está exortando a ser fiel? Por que você acha que Deus necessita exortar essas pessoas a ser fiéis?

 ʘ Em que circunstâncias você, em especial, necessita ouvir que está sendo exortada por Deus a ser mais fiel ainda?

A Caminhada de Uma Mulher com Deus

Minha resposta

- ❧ Pense no que aconteceu com você durante esta semana. Mencione exemplos ocorridos em casa, em seus relacionamentos pessoais ou com as pessoas do ministério quando você não foi fiel, quando provou ser indigna da confiança que alguém depositou em você, quando não levou até o fim seus compromissos e responsabilidades.

- ❧ O que, geralmente, a impede de ser fiel? O que a impediu de ser fiel nas situações que você acabou de mencionar?

- ❧ Como a falta de fidelidade pode servir de advertência, ou o que ela indica, em sua caminhada espiritual?

Capítulo 11 – Adquirindo Força por Meio da Mansidão

A verdade de Deus

- ❧ Como Jesus descreve a Si mesmo em Mateus 11.29? Que convite Ele faz a Seus seguidores nesse versículo? A aceitação ou rejeição a esse convite teve algum efeito em sua vida?

Guia de Estudos

❧ O que Jesus diz em Mateus 5.5 a respeito dos que são mansos? O que Ele está querendo dizer? Se não tiver certeza, separe um tempo específico de estudo, em que o foco seja esse versículo.

❧ Para Deus, de acordo com 1 Pedro 3.4, o que significa um espírito manso?

❧ O que Deus ordena nos versículos abaixo?

Gálatas 6.1

Efésios 4.2

Colossenses 3.12

1 Timóteo 6.11

2 Timóteo 2.24,25

Tito 3.1,2

❧ Por que a mansidão é tão importante para Deus?

❧ Por que a mansidão é tão importante em sua caminhada com Deus?

A Caminhada de Uma Mulher com Deus

Minha resposta

- ✿ Mansidão significa submissão à vontade de Deus. Com base nesta definição, analise sua vida. Em que áreas, se houver, você está oferecendo resistência à vontade de Deus? O que poderia ajudá-la a curvar-se diante de Deus em atitude de submissão?

- ✿ Que *pensamentos* poderiam ajudá-la a cultivar a mansidão em sua vida?

- ✿ Que *ações* você equipara à mansidão?

- ✿ Trace um plano para tornar-se mais semelhante a Cristo em mansidão.

Capítulo 12 – Vencendo a Batalha do Domínio Próprio

A verdade de Deus

- ✿ Leia 1 Coríntios 9.24-27. O que Paulo descreve nessa passagem? O que precisa ser feito para competir na corrida (v. 25a)? De acordo com Paulo, qual é o verdadeiro adversário? O que Paulo está fazendo para

Guia de Estudos

controlar seu adversário? O que essa passagem nos ensina a respeito do domínio próprio?

⊛ Agora, leia 1 Coríntios 7.1-9. A que área da vida Paulo está se referindo aqui? O que essa passagem nos ensina a respeito do domínio próprio?

⊛ De acordo com 1 João 2.16, quais são as três áreas em que somos especialmente vulneráveis à tentação? Qual é a origem dessas áreas de tentação? Que fonte de força para permanecer firme contra essas tentações João identifica aqui?

Minha resposta

⊛ Quais são as duas áreas da vida que exigem que você ponha em prática o domínio próprio?

⊛ O que as orientações abaixo, escritas na Palavra de Deus, lhe dizem a respeito das áreas de tentação que você acabou de identificar?

Provérbios 4.14,15

A Caminhada de Uma Mulher com Deus

Provérbios 4.23

Mateus 26.41

1 Coríntios 10.31

Colossenses 3.16a

☙ Que idéias do tópico "Cultivando o domínio próprio" você porá em prática hoje?

Capítulo 13 – Examinando as Aplicações de Jesus

A verdade de Deus

☙ Leia 1 Pedro 2.22,23. O que Pedro diz sobre Jesus nessa passagem? Jesus cometeu algum pecado?

☙ O que Hebreus 4.15 diz sobre Jesus? Em sua opinião, como Ele venceu a tentação? Explique como a vitória de Jesus sobre o pecado testifica a presença da fidelidade, da mansidão e do domínio próprio na vida Dele.

Guia de Estudos

⊕ Agora, leia 1 Pedro 2.19,20. Quais os dois tipos de sofrimento que são contrastados no versículo 20? Que tipo de sofrimento é do agrado de Deus? Qual é o motivo certo para você sofrer? E o que a questão do sofrimento tem que ver com o fruto do domínio próprio?

Minha resposta

⊕ Considere a evidência desses frutos em sua vida. Cite um ou dois exemplos específicos de quando você presenciou os dons da graça do Espírito em sua vida e mencione o que mais a desafia em cada uma dessas áreas.

Fidelidade

Mansidão

Domínio próprio

⊕ O que Isaías 53.7 diz sobre Jesus? O que o exemplo de Jesus lhe ensina?

⊕ Que atitude específica você tomará para pôr em prática a graça de Deus e completar a carreira com fidelidade?

A Caminhada de Uma Mulher com Deus

☞ Que atitude específica você também tomará para pôr em prática a graça de Deus e adquirir força por meio da mansidão?

☞ E que atitude específica você tomará para pôr em prática a graça de Deus e vencer a batalha do domínio próprio?

Epílogo

☞ Sinto-me privilegiada por conhecer Sam Britten, um homem piedoso que demonstra amor, alegria, paz, longanimidade, benignidade, bondade, fidelidade, mansidão e domínio próprio. Quem, em sua vida, manifesta o fruto do Espírito de Deus. Cite exemplos específicos da vida dessa pessoa – e agradeça a Deus pelo exemplo de vida cristã que essa pessoa lhe dá.

☞ No momento em que completamos este estudo sobre o fruto do Espírito, mencione o que mais chamou sua atenção em sua leitura, estudo bíblico e oração.

O mandamento bíblico mais desafiador

A verdade bíblica mais alentadora

Guia de Estudos

A ilustração mais memorável

O personagem bíblico mais interessante

O conceito novo mais significativo sobre Jesus

O conceito mais importante sobre você

☙ Para encerrar, agradeça a Deus as lições que Ele lhe ensinou... e peça-Lhe que a ajude a cultivar as sementes que Ele plantou mediante a obra do Espírito Santo, para que Seu Espírito continue a nutrir sua vida com amor, alegria, paz, longanimidade, benignidade, bondade, fidelidade, mansidão e domínio próprio durante toda sua caminhada com Ele.

Notas

Notas

Capítulo 1 – Preparando-se para Continuar a Crescer

1. Merrill E. Unger, *Unger's Bible Dictionary* (Chicago: Moody Press, 1972), p. 382.
2. Alfred Martin, *John, Life Through Believing* (Chicago: Moody Bible Institute, 1981), p. 92.
3. Everett F. Harrison, *John, The Gospel of Faith* (Chicago: Moody Press, 1962), p. 91.
4. William Barclay, *The Gospel of John*, Vol. 2, ed. rev. (Philadelphia: The Westminster Press, 1975), p. 176.
5. Everett F. Harrison, *John, The Gospel of Faith*, p. 91.
6. Ibid.
7. H.D.M. Spence e Joseph S. Exell (eds.), *The Pulpit Commentary*, Vol. 17 (Grand Rapids, MI: William B. Eerdmans Publishing Company, 1978), p. 295.
8. Albert M. Wells, Jr. (ed.), *Inspiring Quotations Contemporary & Classical* (Nashville: Thomas Nelson Publishers, 1988), p. 158.
9. John MacArthur, Jr., *Liberty in Christ* (Panorama City, CA: Word of Grace Communications, 1986), p. 92.
10. Phill McHugh e Greg Nelson, "Much Too High a Price", – 1985, de River Oaks Music Company/Careers –BMG Music Publishing/Greg Nelson Music. River Oaks Music Company Adm., de EMI Christian Music Publishing. Todos os direitos reservados. Reprodução autorizada.
11. Henry Varley, *Moody Monthly*, junho de 1976, p. 97.

A Caminhada de Uma Mulher com Deus

Capítulo 2 – Buscando Amor em Deus

1. William Barclay, *The Letters to the Galatians and Ephesians*, ed. rev. Philadelphia: The Westminster Press, 1976), p. 50.
2. H.D.M. Spence e Joseph S. Exell (eds.), *The Pulpit Commentary*, Vol. 20 (Grand Rapids, MI: William B. Eerdmans Publishing Company, 1978), p. 293.
3. George Sweeting, *Love Is the Greatest* (Chicago: Moody Press, 1975), p. 20.
4. Edith Schaeffer, *What Is a Family?* (Old Tappan, NJ: Fleming H. Revell Company, 1975), p. 91).
5. Jerry Bridges, *The Practice of Godliness* (Colorado Springs: NavPress, 1987), p. 246.
6. William Barclay, *The Letters to the Galatians and Ephesians*, ed. rev., p. 50.
7. Sra. Charles E. Cowman, *Streams in the Desert*, Vol. 1 (Grand Rapids, MI: Zondervan Publishing House, 1965), p. 97.
8. John MacArthur, Jr., *Liberty in Christ* (Panorama City, CA: Word of Grace Communications, 1986), p. 88.

Capítulo 3 – Oferecendo o Sacrifício de Alegria

1. John MacArthur, Jr., *Liberty in Christ* (Panorama City, CA: Word of Grace Communications, 1986), p. 90.
2. William Barclay, *The Letters to the Galatians and Ephesians*, ed. rev., (Philadelphia: The Westminster Press, 1976), p. 50.
3. William Barclay, *The Letters of James and Peter*, ed. rev. (Philadelphia: The Westminster Press, 1976), p. 178.
4. H.D.M. Spence e Joseph S. Exell (eds.), *The Pulpit Commentary*, Vol. 22 (Grand Rapids, MI: William B. Eerdmans Publishing Company, 1978), p. 6.
5. W.H. Griffith Thomas, *The Apostle Peter* (Grand Rapids, MI: Kregel Publications, 1984), p. 162.
6. John MacArthur, Jr., *The MacArthur New Testament Commentary, Galatians* (Chicago: Moody Press, 1987), p. 166.

Notas

7. A.A. Anderson, *New Century Bible Commentary, The Book of Psalms*, Vol. 1 (Grand Rapids, MI: William B. Eerdmans Publishing Company, 1972), p. 336.

8. Herbert Lockyer, *All the Promises of the Bible* (Grand Rapids, MI: Zondervan Publishing House, 1962), p. 10.

9. Margaret Clarkson, *Grace Grows Best in Winter* (Grand Rapids, MI: William B. Eerdmans Publishing Company, 1984), p. 21. Citação extraída de *St. Paul* por Frederick W.H. Myers, 1843-1901.

10. Charles Ray, *Mrs. C.H. Spurgeon* (Pasadena, TX: Pilgrim Publications, 1979), pp. 82-83.

11. *Life Application Bible* (Wheaton, IL: Tyndale House Publishers, Inc. e Youth for Christ/EUA, 1988), p. 402.

12. John MacArthur, Jr., *The MacArthur New Testament Commentary, Galatians*, p. 166.

13. Jerry Bridges, *The Practice of Godliness* (Colorado Springs: NavPress, 1983), p. 134.

Capítulo 4 – Sentindo a Paz de Deus

1. Kenneth S. Wuest, *Wuest's Word Studies in the Greek New Testament*, Vol. 1 (Grand Rapids, MI: William B. Eerdmans Publishing Company, 1973), p. 160.

2. William Barclay, *The Letters to the Galatians and Ephesians*, ed. rev. (Philadelphia: The Westminster Press, 1976), p. 50.

3. Howard F. Vos, *Galatians, A Call to Christian Liberty* (Chicago: Moody Press, 1971), p. 107.

4. Charles F. Pfeiffer e Everett R. Harrison (eds.), *The Wycliffe Bible Commentary* (Chicago: Moody Press, 1973), p. 1297.

5. H.D.M. Spence e Joseph S. Exell (eds.), *The Pulpit Commentary*, Vol. 20 (Grand Rapids, MI: William B. Eerdmans Publishing Company, 1978), p. 262.

6. Albert M. Wells, Jr. (ed.), *Inspiring Quotations Contemporary & Classical* (Nashville: Thomas Nelson Publishers, 1988), p. 152.

A Caminhada de Uma Mulher com Deus

7. Curtis Vaughan (ed.), *The New Testament from 26 Translations* (Grand Rapids, MI: Zondervan Publishing House, 1967), p. 265.
8. O breve catecismo do *Livro de Confissões* presbiteriano.
9. Glen Karssen, *Her Name is Woman* (Colorado Springs: NavPress, 1975), p. 161.

Capítulo 5 – Examinando as Atitudes de Jesus

1. John MacArthur, Jr., *The MacArthur New Testament Commentary, Matthew 24-28* (Chicago: Moody Press, 1989), p. 167.
2. Ibid., p. 166.
3. William Hendriksen, *New Testament Commentary, Matthew* (Grand Rapids, MI: Baker Book House, 1973), p. 916.
4. Ibid., p. 917.
5. Sra. Charles E. Cowman, *Streams in the Desert* (Grand Rapids, MI: Zondervan Publishing House, 1965), p. 104.

Capítulo 6 – Resistindo com Longanimidade

1. Howard F. Vos, *Galatians, A Call to Christian Liberty* (Chicago: Moody Press, 1971), p. 108.
2. Kenneth S. Wuest, *Wuest's Word Studies in the Greek New Testament* (Grand Rapids, MI: William B. Eerdmans Publishing Company, 1973), p. 160.
3. Charles F. Pfeiffer e Everett F. Harrison (eds.), *The Wycliffe Bible Commentary* (Chicago: Moody Press, 1962), p. 1297.
4. John MacArthur, Jr., *Liberty in Christ* (Panorama City, CA: Word of Grace Communications, 1986), p. 92.
5. Charles F. Pfeiffer e Everett F. Harrison (eds.), *The Wycliffe Bible Commentary*, p. 1297.
6. William Barclay, *The Letters to the Galatians and Ephesians*, ed. rev. (Philadelphia: The Westminster Press, 1976), p. 50.
7. Alan Cole, *The Epistle of Paul to the Galatians, Tyndale New Testament Commentaries* (Grand Rapids, MI: William B. Eerdmans Publishing Company, 1965), p. 167.

Notas

8. John MacArthur, Jr., *The MacArthur New Testament Commentary, Galatians* (Chicago: Moody Press, 1987), p. 167.

9. Howard F. Vos, *Galatians, A Call to Christian Liberty*, p. 108.

10. Kenneth S. Wuest, *Wuest's Word Studies in the Greek New Testament*, p. 160.

11. Merrill F. Unger, *Unger's Bible Dictionary* (Chicago: Moody Press, 1972), p. 829.

12. George Sweeting, *Love Is the Greatest* (Chicago: Moody Press, 1974), p. 53.

13. John MacArthur, Jr., *Liberty in Christ*, p. 92.

14. H.D.M. Spence e Joseph S. Exell (eds.), *The Pulpit Commentary*, Vol. 20 (Grand Rapids, MI: William B. Eerdmans Publishing Company, 1978), p. 287.

15. William Barclay, *The Letters to the Galatians and Ephesians*, ed. rev., p. 51.

16. Kenneth S. Wuest, *Wuest's Word Studies in the Greek New Testament*, p. 160.

17. Charles F. Pfeiffer e Everett F. Harrison (eds.), *The Wycliffe Bible Commentary*, p. 1297.

18. William Barclay, *The Letters to the Galatians and Ephesians*, ed. rev., p. 51.

19. D.L. Moody, *Notes from My Bible and Thoughts from My Library* (Grand Rapids, MI: Baker Book House, 1979), p. 323.

20. William J. Peterson, *Martin Luther Had a Wife* (Wheaton, IL: Living Books, Tyndale House Publishers, Inc., 1983), p. 42.

21. William J. Peterson, *Martin Luther Had a Wife*, p. 62.

22. H.D.M. Spence e Joseph S. Exell (eds.), *The Pulpit Commentary*, Vol. 20, p. 294.

23. William Hendriksen, *The New Testament Commentary, Colossians and Philemon* (Grand Rapids, MI: Baker Book House, 1964), p. 155.

24. Herbert Lockyer, *The Women of the Bible* (Grand Rapids, MI: Zondervan Publishing House, 1967), p. 158.

25. Herbert Lockyer, *The Women of the Bible*, p. 158.

A Caminhada de Uma Mulher com Deus

26. Charles Caldwell Ryrie, *The Ryrie Study Bible* (Chicago: Moody Press, 1978), p. 420.

Capítulo 7 – Planejando a Benignidade

1. William Barclay, *The Letters to the Galatians and Ephesians*, ed. rev. (Philadelphia: The Westminster Press, 1976), p. 154.
2. William Barclay, *The Letters to the Galatians and Ephesians*, ed. rev., p. 158.
3. Ruth A. Tucker, *From Jerusalem to Irian Jaya* (Grand Rapids, MI: Zondervan Publishing House, Academie Books, 1983), p. 27.
4. John MacArthur, Jr., *Liberty in Christ* (Panorama City, CA: Word of Grace Communications, 1986), p. 93.
5. John MacArthur, Jr., *The MacArthur New Testament Commentary, Galatians* (Chicago: Moody Press, 1987), p. 168.
6. William Barclay, *The Letters to the Philippians, Colossians, and Philemon*, ed. rev. (Philadelphia: The Westminster Press, 1975), p. 157.
7. H.D.M. Spence e Joseph S. Exell (eds.), *The Pulpit Commentary*, Vol. 20 (Grand Rapids, MI: William B. Eerdmans Publishing Company, 1978), p. 262.
8. John MacArthur, Jr., *The MacArthur New Testament Commentary, Colossians and Philemon* (Chicago: Moody Press, 1992), p. 155.
9. William Hendriksen, *New Testament Commentary, Matthew* (Grand Rapids, MI: Baker Book House, 1973), p. 505.
10. John M. Drescher, *Spirit Fruit* (Scottdale, PA: Herald Press, 1974), pp. 221-22.
11. John M. Drescher, *Spirit Fruit*, p. 210.
12. John M. Drescher, *Spirit Fruit*, p. 206.
13. Anne Ortlund, *Disciplines of the Beautiful Woman* (Waco, TX: Word, Incorporated, 1977), pp. 96, 98.
14. Alan Cole, *The Epistle of Paul to the Galatians, Tyndale New Testament Commentaries* (Grand Rapids, MI: William B. Eerdmans Publishing Company, 1965), p. 167.
15. C. Norman Bartlett, *The Gospel in Galatians* (Chicago: The Moody Bible Institute, 1964), p. 134.

Notas

Capítulo 8 – Oferecendo Bondade

1. John W. Cowart, *People Whose Faith Got Them Into Trouble* (Downers Grove, IL: InterVarsity Press, 1990).
2. John W. Cowart, *People Whose Faith Got Them Into Trouble*, pp. 13-14.
3. Merrill F. Unger, *Unger's Bible Dictionary* (Chicago: Moody Press, 1972), p. 420.
4. Charles F. Pfeiffer e Everett F. Harrison, *The Wycliffe Bible Commentary* (Chicago: Moody Press, 1973), p. 1296.
5. Merrill F. Unger, *Unger's Bible Dictionary*, p. 420.
6. H.D.M. Spence e Joseph S. Exell (eds.), *The Pulpit Commentary*, Vol. 20 (Grand Rapids, MI: William B. Eerdmans Publishing Company, 1978), p. 262.
7. W.E. Vine, *An Expository Dictionary of New Testament Words* (Old Tappan, NJ: Fleming H. Revell Company, 1966), p. 165.
8. John MacArthur, Jr., *The MacArthur New Testament Commentary, Galatians* (Chicago: Moody Press, 1987), p. 168.
9. H.D.M. Spence e Joseph S. Exell (eds.), *The Pulpit Commentary*, Vol. 20, p. 262.
10. Kenneth S. Wuest, *Word Studies in the Greek New Testament*, Vol. 1 (Grand Rapids, MI: William B. Eerdmans Publishing Company, 1974), p. 160.
11. Howard F. Vos, *Galatians, A Call to Christian Liberty* (Chicago: Moody Press, 1973), p. 108.
12. Stuart Briscoe, *The Fruit of the Spirit* (Wheaton, IL: Harold Shaw Publishers, ed. rev., 1993), p. 105.
13. Charles Caldwell Ryrie, *The Ryrie Study Bible* (Chicago: Moody Press, 1978), p. 1781.
14. Charles R. Swindoll, *Come Before Winter* (Portland, OR: Multnomah Press, 1985), p. 196.
15. William Barclay, *The Letters to the Corinthians*, ed. rev. (Philadelphia: The Westminster Press, 1975), p. 120.
16. William Hendriksen, *Exposition of the Pastoral Epistles, New Testament Commentary* (Grand Rapids, MI: Baker Book House, 1976), p. 365.

A Caminhada de Uma Mulher com Deus

17. Ibid., p. 188.
18. Ibid., p. 107.
19. Donald Guthrie, *The Pastoral Epistles, Tyndale New Testament Commentaries* (Grand Rapids, MI: William B. Eerdmans Publishing Company, 1976), p. 75.
20. William Hendriksen, *Exposition of the Bible According to Luke, New Testament Commentary* (Grand Rapids, MI: Baker Book House, 1978), p. 558.
21. Oswald Chambers, *Studies in the Sermon on the Mount* (Fort Washington, PA: Christian Literature Crusade, 1960), p. 53.
22. Albert M. Wells, Jr. (ed.), *Inspiring Quotations Contemporary & Classical* (Nashville: Thomas Nelson Publishers, 1988), p. 82.
23. Neil S. Wilson (ed.), *The Handbook of Bible Application* (Wheaton, IL: Tyndale House Publishers, Inc., 1992), p. 369.
24. Dan Baumann, *Extraordinary Living for Ordinary People* (Irvine, CA: Harvest House Publishers, 1978), pp. 83-84.

Capítulo 9 – Examinando as Ações de Jesus

1. James Stalker, *The Life of Jesus Christ* (Old Tappan, NJ: Fleming H. Revell Company, 1949), p. 120.
2. Ibid., p. 121.
3. John MacArthur, Jr., *The MacArthur New Testament Commentary, Matthew 24-28* (Chicago: Moody Press, 1989), p. 194.
4. Ibid., p. 183.
5. James Stalker, *The Trial and Death of Jesus Christ* (Grand Rapids, MI: Zondervan Publishing House, 1972), p. 13.
6. William Hendriksen, *Exposition of the Gospel According to Luke, New Testament Commentary* (Grand Rapids, MI: Baker Book House, 1978), p. 989.

Capítulo 10 Completando a Carreira com Fidelidade

1. Albert M. Wells, Jr. (ed.), *Inspiring Quotations Contemporary & Classical* (Nashville: Thomas Nelson Publishers, 1988), p. 69.

Notas

2. H.D.M. Spence e Joseph S. Exell (eds.), *The Pulpit Commentary*, Vol. 20 (Grand Rapids, MI: William B. Eerdmans Publishing Company, 1978), p. 287.
3. John MacArthur, Jr., *The MacArthur New Testament Commentary, Galatians* (Chicago: Moody Press, 1987), p. 169.
4. John MacArthur, Jr., *Liberty in Christ* (Panorama City, CA: Word of Grace Communities, 1986), p. 95.
5. William Barclay, *The Letters to the Galatians and Ephesians*, ed. rev. (Philadelphia: The Westminster Press, 1976), p. 51.
6. Alan Cole, *The Epistle of Paul to the Galatians, Tyndale New Testament Commentaries* (Grand Rapids, MI: William B. Eerdmans Publishing Company, 1976), p. 168.
7. William Hendriksen, *Exposition of Galatians, New Testament Commentary* (Grand Rapids, MI: Baker Books House, 1974), p. 225.
8. Charles Caldwell Ryrie, *The Ryrie Study Bible* (Chicago: Moody Press, 1978), p. 1777.
9. Richard Shelley Taylor, *The Disciplined Life* (Minneapolis, MN: Dimension Books, Bethany Fellowship, Inc., 1962), p. 37.
10. Vanita Hampton e Carol Plueddemann (eds.), *World Shapers* (Wheaton, IL: Harold Shaw Publishers, 1991), p. 17.
11. Edith Schaeffer, *Common Sense Christian Living*, pp. 88-89.
12. Herbert Lockyer, *The Women of the Bible* (Grand Rapids, MI: Zondervan Publishing House, 1967), p. 101.
13. Richard C. Halverson, boletim "Perspective", 26/10/77.

Capítulo 11 – Adquirindo Força por Meio da Mansidão

1. John F. MacArthur, Jr., *Liberty in Christ* (Panorama City, CA: Word of Grace Communities, 1986), p. 95.
2. William Barclay, *The Letters to the Galatians and Ephesians*, ed. rev. (Philadelphia: The Westminster Press, 1976), p. 52.
3. Howard F. Vos, Galatians, *A Call to Christian Liberty* (Chicago: Moody Press, 1971), p. 108.
4. H.D.M. Spence e Joseph S. Exell (eds.), *The Pulpit Commentary*, Vol. 20 (Grand Rapids, MI: William B. Eerdmans Publishing Company, 1978), p. 262.

A Caminhada de Uma Mulher com Deus

5. William Hendriksen, *Exposition of the Gospel According to Matthew, New Testament Commentary* (Grand Rapids, MI: Baker Book House, 1975), pp. 271-72.

6. William Barclay, *The Letters to the Galatians and Ephesians*, ed. rev., p. 52.

7. *Webster's New Dictionary of Synonyms* (Springfield, MA: G. & C. Merrian Company, Publishers, 1973), p. 812.

8. Albert M. Wells, Jr. (ed.), *Inspiring Quotations Contemporary & Classical* (Nashville: Thomas Nelson Publishers, 1988), p. 91.

9. William Hendriksen, *Exposition of the Gospel According to Matthew*, p. 765.

10. Merrill F. Unger, *Unger's Bible Dictionary* (Chicago: Moody Press, 1972), p. 709.

11. Kenneth W. Wuest, *Wuest's Word Studies from the Greek New Testament*, Vol. 2 (Grand Rapids, MI: William B. Eerdmans Publishing Company, 1974), p. 78.

12. Alan M. Stibbs, *The First Epistle General of Peter, The Tyndale New Testament Commentaries* (Grand Rapids, MI: William B. Eerdmans Publishing Company, 1976), p. 125.

13. Robert Jamieson, A.R. Fausset e David Brown, *Commentary on the Whole Bible* (Grand Rapids, MI: Zondervan Publishing House, 1973), p. 1475.

14. Kenneth S. Wuest, *Wuest's Word Studies from the Greek New Testament*, Vol. 2, p. 81.

15. Albert M. Wells, Jr. (ed.), *Inspiring Quotations Contemporary & Classical*, p. 92.

16. W.E. Vine, *An Expository Dictionary of New Testament Words* (Old Tappan, NJ: Fleming H. Revell Company, 1966), pp. 55-56.

17. W.E. Vine, *An Expository Dictionary of New Testament Words*, p. 56.

18. Derek Kidner, *The Proverbs* (London: InterVarsity Press, 1973), p. 63.

19. Derek Kidner, *Psalms 1-72* (Downers Grove, IL: InterVarsity Press, 1973), p. 176.

Notas

20. Charles Caldwell Ryrie, *The Ryrie Study Bible* (Chicago: Moody Press, 1978), p. 841.

21. Glen Karssen, *Her Name Is Woman* (Colorado Springs: NavPress, 1975), p. 132.

22. J. Vernon McGee, *Luke* (Pasadena, CA: Thru the Bible Books, 1986), p. 24.

23. Herbert Lockyer, *The Women of the Bible* (Grand Rapids, MI: Zondervan Publishing House, 1975), p. 105.

24. Gene A. Getz, *Moses, Moments of Glory... Feet of Clay* (Glendale, CA: Regal Books, 1976), p. 138.

25. Ibid., pp. 139-140.

26. Don Baker, *Pain's Hidden Purpose* (Portland, OR: Multnomah Press, 1984), pp. 86-89.

Capítulo 12 – Vencendo a Batalha do Domínio Próprio

1. J. Oswald Sanders, *Spiritual Leadership*, ed. rev. (Chicago: Moody Press, 1980), pp. 71-72.

2. Robert Jamieson, A.R. Fausset e David Brown, *Commentary of the Whole Bible* (Grand Rapids, MI: Zondervan Publishing House, 1973), p. 1275.

3. William Barclay, *The Letters to the Galatians and Ephesians*, ed. rev. (Philadelphia: The Westminster Press, 1976), p. 52.

4. W.E. Vine, *An Expository Dictionary of New Testament Words* (Old Tappan, NJ: Fleming H. Revell Company, 1966), p. 114.

5. Charles F. Pfeiffer e Everett F. Harrison, *The Wycliffe Bible Commentary* (Chicago: Moody Press, 1973), p. 1297.

6. John MacArthur, Jr., *Liberty in Christ* (Panorama City, CA: Word of Grace Communities, 1986), p. 96.

7. H.D.M. Spence e Joseph S. Exell (eds.), *The Pulpit Commentary*, Vol. 20 (Grand Rapids, MI: William B. Eerdmans Publishing Company, 1978), p. 287.

8. Kenneth S. Wuest, *Wuest's Word Studies from the Greek New Testament* (Grand Rapids, MI: William B. Eerdmans Publishing Company, 1974), p. 160.

A Caminhada de Uma Mulher com Deus

9. Archibald Thomas Robertson, *Word Pictures in the New Testament*, Vol. IV, p. 311.
10. Bruce Wideman, *Presbyterian Journal*, 30 de julho de 1975, p. 7.
11. Robert C. Gage, *Cultivating Spiritual Fruit* (Schaumburg, IL: Regular Baptist Press, 1986), p. 126.
12. Dan Baumann, *Extraordinary Living for Ordinary People* (Irvine, CA: Harvest House Publishers, 1978), pp. 118-19.
13. John H. Timmerman, *The Way of Christian Living* (Grand Rapids, MI: William B. Eerdmans Publishing Company, 1987), p. 146.
14. Charles R. Ryrie, *The Ryrie Study Bible* (Chicago: Moody Press, 1978), p. 476.
15. *Life Application Bible* (Wheaton, IL: Tyndale House Publishers, Inc. e Youth for Christ, 1988), p. 475.
16. Albert M. Wells, Jr., *Inspiring Quotes Contemporary & Classical* (Nashville: Thomas Nelson Publishers, 1988), p. 58.
17. Jerry Bridges, *The Practice of Godliness* (Colorado Springs, CO: NavPress, 1987), p. 164.
18. Elizabeth George, *Amando a Deus de todo o seu entendimento* (Campinas, SP, Editora United Press, 2003).
19. Jerry Bridges, *The Practice of Godliness*, citando D.G. Kehl, p. 175.
20. John H. Timmerman, *The Way of Christian Living*, pp. 147-48.
21. Luis Palau, *Heart After God* (Portland, OR: Multnomah Press, 1978), p. 70.

Capítulo 13 – Examinando as Aplicações de Jesus

1. D.L. Moody, *Notes from My Bible and Thoughts from My Library* (Grand Rapids, MI: Baker Book House, 1979), p. 362.
2. Kenneth S. Wuest, *Wuest's Word Studies from the Greek New Testament*, Vol. II (Grand Rapids, MI: William B. Eerdmans Publishing Company, 1973), p. 67.
3. Kenneth S. Wuest, *Wuest's Word Studies from the Greek New Testament*, Vol. II, pp. 67-68.

Notas

4. Ibid.
5. Alan M. Stibbs, *The First Epistle General of Peter, Tyndale New Testament Commentaries*, p. 118.
6. Kenneth S. Wuest, *Wuest's Word Studies from the Greek New Testament*, Vol. II, pp. 67-68.

Epílogo – Planejando Crescer Mais

1. John Blanchard, "The Most Amazing Statement in Scripture" (Grace to You, P.O. Box 4000, Panorama City, CA 91412).

Sobre a autora

Elizabeth George e o marido, Jim, são co-fundadores dos Ministérios de Desenvolvimento Cristão, uma organização que alcança pessoas do mundo inteiro por meio de materiais para estudos bíblicos, *workshops* e fitas cassetes preparados especificamente para desenvolver o crescimento espiritual nas áreas mais importantes da vida cristã. Elizabeth ministra palestras, e seus livros alcançaram grande sucesso de vendas. Sua maior paixão é lecionar doutrinas bíblicas para mulheres, com o objetivo de modificar vidas.

Se você desejar que Elizabeth faça uma palestra para seu grupo ou quiser receber informações a respeito de seus livros e estudos ou, ainda, se tiver interesse em contar como Deus usou este livro para modificar sua vida, entre em contato com Elizabeth neste endereço:

Elizabeth George
P.O.Box 2879
Belfair, WA 98528
EUA

Fone/Fax:
1-800-542-4611
www.elizabethgeorge.com

Outros livros de Elizabeth George

Bela aos Olhos de Deus – Os Tesouros da Mulher de Provérbios 31 (Campinas, SP, Editora United Press Ltda., 2002).

God Lights My Path – Meditations (Deus Ilumina meus Passos – Meditações).

The Lord Is My Shepherd – 12 Promises for Every Woman (O Senhor É o Meu Pastor – 12 Promessas para Toda Mulher).

Amando a Deus de Todo o Seu Entendimento (Campinas, SP, Editora United Press Ltda., 2003).

Uma Mulher Segundo o Coração de Deus (Campinas, SP, Editora United Press Ltda., 2000).

Mulheres Que Amaram a Deus – 365 Dias com as Mulheres da Bíblia (Campinas, SP, Editora United Press Ltda., 2001).

Ester – Um Exemplo de Beleza e Coragem (São Paulo, SP, Editora Hagnos, 2004).

Filipenses – Experimentado a Paz de Deus (Campinas, SP, Editora United Press Ltda., 2003).

Growing in Wisdom & Faith – 1 Timothy (Buscando a Piedade e Fé – 1 Timóteo).

Putting on a Gentle & Quiet Spirit – 1 Peter (Revestindo-nos de um Espírito Manso e Tranqüilo).

Walking in God's Promises – Sara (Caminhando nas Promessas de Deus – Sara).

Tiago – Crescendo em Sabedoria e Fé (São Paulo, SP, Editora Hagnos, 2004).

Livros infantis

God's Wisdom for Little Girls – Virtues and Fun from Proverbs 31 (A Sabedoria de Deus para Meninas – Virtudes e Alegrias Contidas em Provérbios 31).

Sua opinião é importante para nós.
Por gentileza, envie-nos seus comentários pelo e-mail:

editorial@hagnos.com.br

Visite nosso site:

www.hagnos.com.br